Atlas

Paris from A to Z

Walks

Practical information

A map of the Métro is available from all Métro and RER stations.

The pictograms

Each entry in 'Paris from A to Z' is accompanied by 4 pictograms. These are in colour or greyed-out, so you can quickly see:

- if there is an entrance fee — or not
- if there are group visits by appointment — or not
- if a guided tour is possible — or not
- if one can visit without a guide — or not

A note about the maps

The 167 entries of 'Paris from A to Z' can be easily located:

- on the map, by a number in a black cartouche;
- in the text, where a map reference is given; the first number, in italic (*24*), indicates the page, and the second, in bold (**A2**), is the grid reference.

Several captions for the same monument

Some monuments, museums and so on have several illustrations. The name of the site is given in ***bold italic*** in the first caption; the following captions for that site are in *normal italic*. (See for example the Hôtel des Invalides, page 130, number 73.)

KEY TO THE CITY MAPS

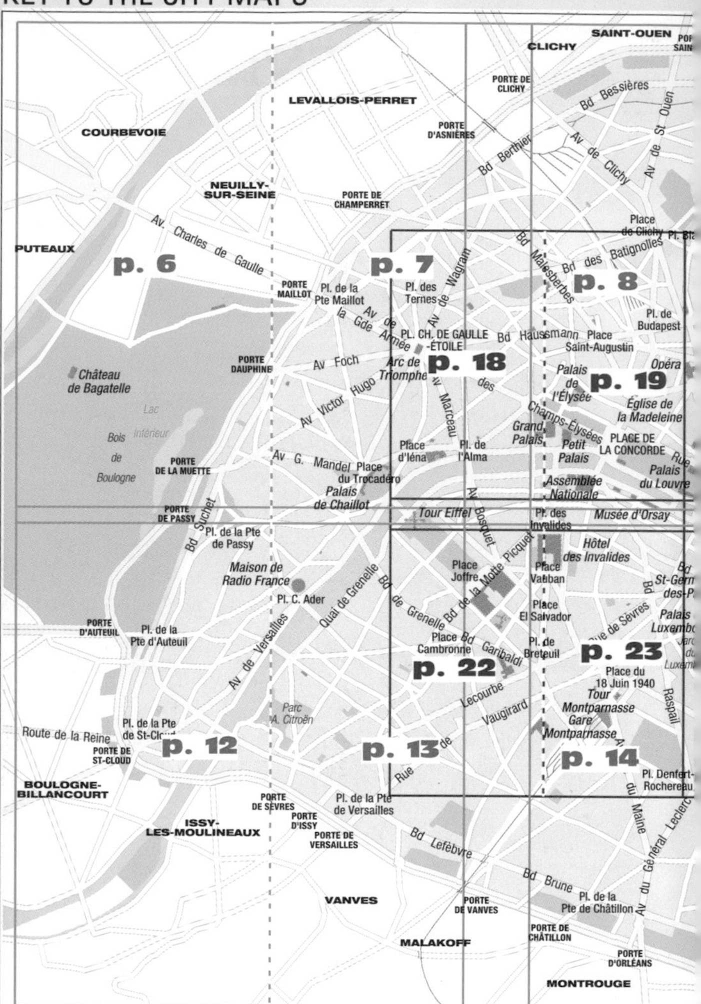

Atlas of Paris streets

Blue pages refer to maps in the general atlas of Paris.
Red pages refer to maps of the city centre, enlarged in relation to the general atlas .

Numbers appearing next to monuments and beauty spots refer to the directory of monuments.

Scale of the maps :
- General atlas : 1 / 28 500 e (1cm = 285 m)
- Map of the Centre: 1 / 17 000 e (1cm = 170 m)

GUIDES JAUNES

£1.99

Paris

PARIS • BRUXELLES • MONTRÉAL • ZURICH

GUIDE JAUNE
PARIS

is published by Sélection du Reader's Digest,
based on an original idea of Sélection du Reader's Digest.

Original photographs by *Jacques du Sordet*

This work was created by AMDS
(Atelier Martine and Daniel Sassier)
Text: *Florence Maruejol*
Layout: *Atelier Michel Ganne*

Cartography
EDITERRA, Paris

English translation and typesetting
Rosetta Translations, London

Under the editorial direction
of Sélection du Reader's Digest
Editorial director: *Gérard Chenuet*
Editorial project controller: *José-Antoine Cilleros*
Cover and design: *Didier Pavois*
Editors: *Béatrice Omer, Catherine Decayeux,*
Emmanuelle Dunoyer
Pre-press: *Isabelle Lévy*
Production: *Frédéric Pecqueux*

FIRST EDITION

ISBN : 2-7098-0802-1

OTHER TITLES AVAILABLE

Châteaux de la Loire

IN PREPARATION

Brittany
Alsace
Provence

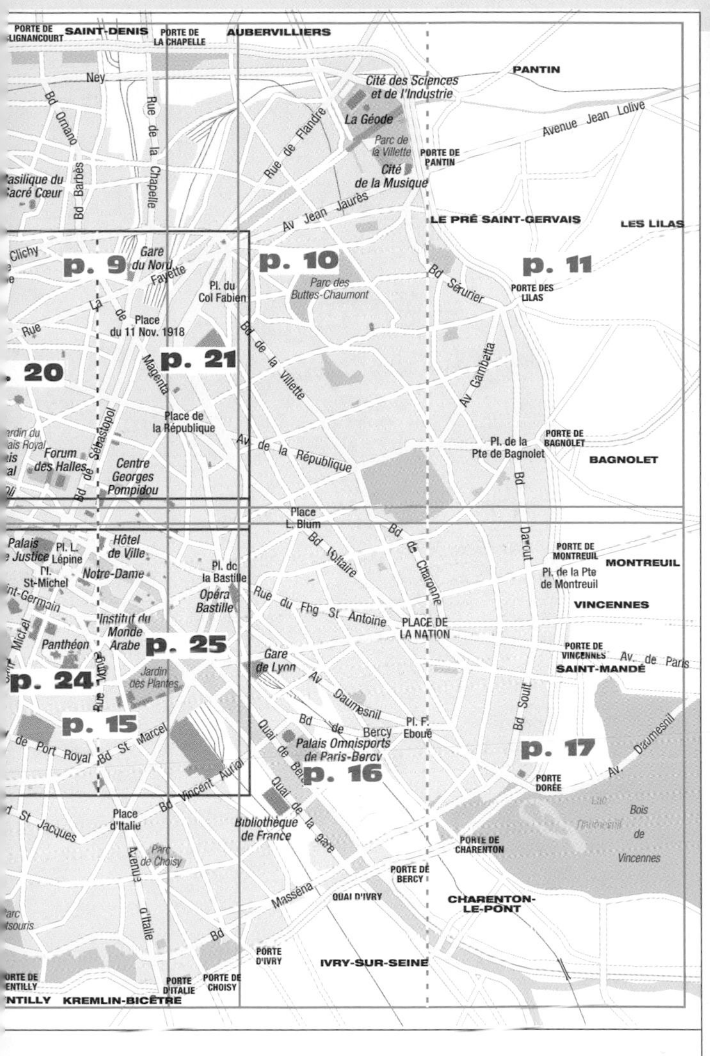

Key

M Metro (underground Station) **R** RER (Regional Express Network) station

- Beauty spot or monument mentioned in the text
- Beauty spot or monument not mentioned in the text
- Pubblic building mentioned in the text
- Pubblic building not mentioned in the text
- Park
- Motorway
- Expressway
- Major road
- Street
- Pedestrianized street
- Railway

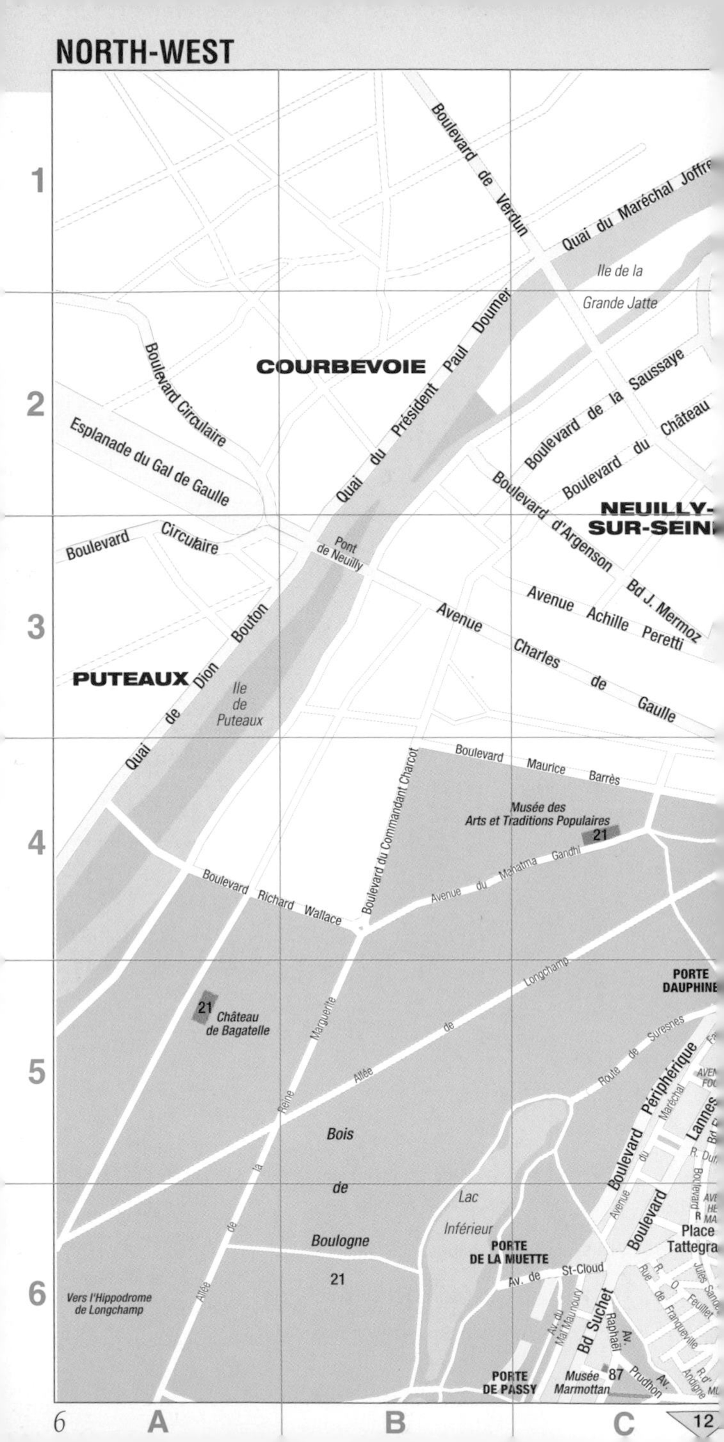

NORTH-WEST
1
2
3
4
5
6
A
B
C
Boulevard de Verdun
Quai du Maréchal Joffre
Ile de la
Grande Jatte
Boulevard Circulaire
COURBEVOIE
Quai du Président Paul Doumer
Boulevard de la Saussaye
Boulevard du Château
Esplanade du Gal de Gaulle
Boulevard d'Argenson
NEUILLY-
SUR-SEIN
Boulevard Circulaire
Pont
de Neuilly
Avenue Achille Peretti
Bd J. Mermoz
Quai de Dion Bouton
Avenue Charles de Gaulle
PUTEAUX
Ile
de
Puteaux
Boulevard Maurice Barrès
Boulevard du Commandant Charcot
Musée des
Arts et Traditions Populaires
21
Avenue du Mahatma Gandhi
Boulevard Richard Wallace
PORTE
DAUPHINE
Allée de Longchamp
21
Château
de Bagatelle
Allée de la Reine Marguerite
Route de Suresnes
Boulevard Périphérique
Boulevard Lannes
Avenue du Maréchal
Bois
de
Boulogne
Lac
Inférieur
21
Place
Tattegra
PORTE
DE LA MUETTE
Av. de St-Cloud
Vers l'Hippodrome
de Longchamp
Av. du Mal Maunoury
Bd Suchet
Av. Raphaël
Rue de Franqueville
PORTE
DE PASSY
Musée
Marmottan
87
Av. Prudhon
6
12

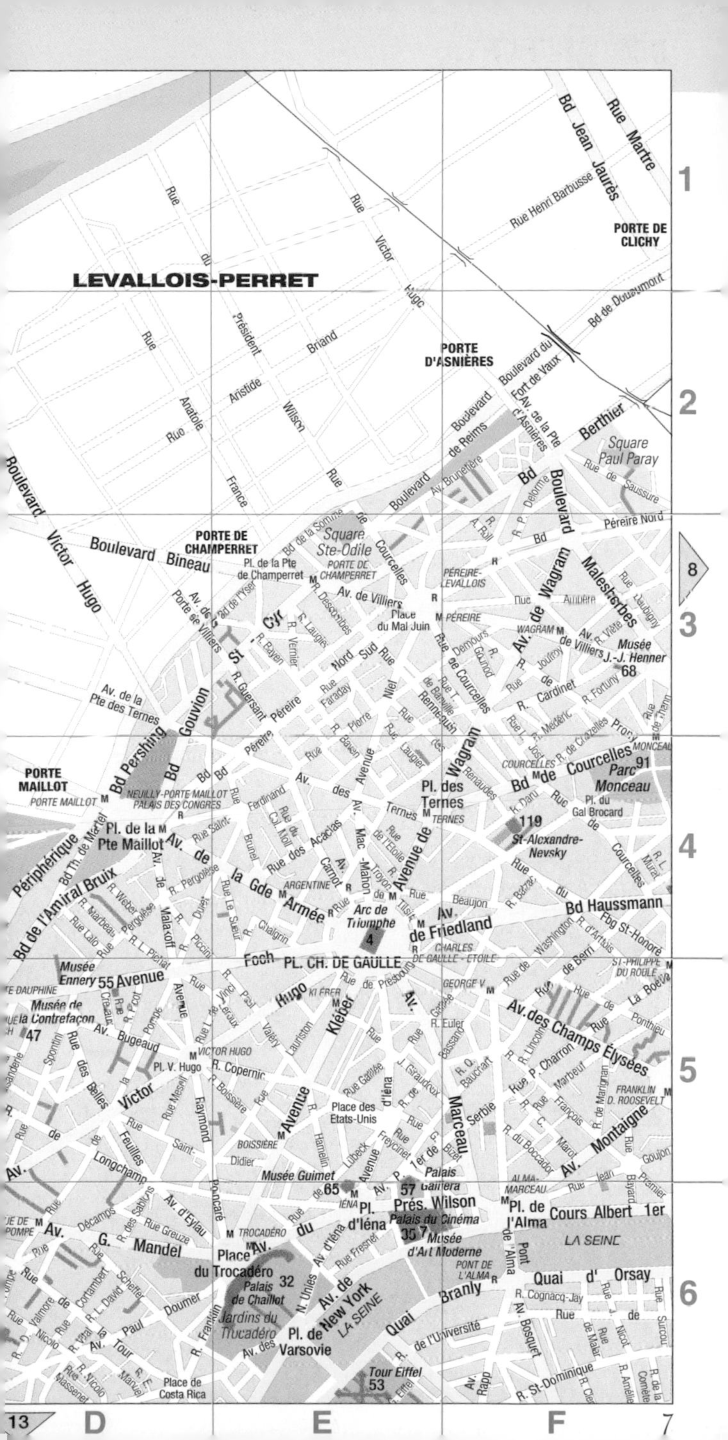

LEVALLOIS-PERRET
Rue Martre
Bd Jean Jaurès
Rue Henri Barbusse
PORTE DE CLICHY
Bd de Douaumont
Rue Victor Hugo
Rue du Président Wilson
Rue Aristide Briand
Rue Anatole France
PORTE D'ASNIÈRES
Boulevard du Fort de Vaux
Av. de la Pte d'Asnières
Boulevard de Reims
Bd Berthier
Square Paul Paray
Rue de Saussure
Boulevard Bineau
Boulevard Victor Hugo
PORTE DE CHAMPERRET
Pl. de la Pte de Champerret
Square Ste-Odile
Rue de Courcelles
Boulevard Malesherbes
Av. de Wagram
Av. de Villiers
Place du Mal Juin
PÉREIRE-LEVALLOIS
PÉREIRE
WAGRAM
Musée J.-J. Henner
68
Av. de la Pte des Ternes
Bd Gouvion St Cyr
Bd Pereire
R. Guersant
Rue Niel
Rue Rennequin
R. de Prony
R. Fortuny
R. Cardinet
Bd de Courcelles
COURCELLES
MONCEAU
Parc Monceau
91
Pl. du Gal Brocard
PORTE MAILLOT
NEUILLY-PORTE MAILLOT
PALAIS DES CONGRÈS
Bd Pershing
Pl. de la Pte Maillot
Périphérique
Bd de l'Amiral Bruix
Av. de la Gde Armée
Av. des Ternes
Pl. des Ternes
TERNES
Avenue de Wagram
Av. Mac-Mahon
Rue des Acacias
ARGENTINE
119
St-Alexandre-Nevsky
Rue du Fbg St-Honoré
Bd Haussmann
Av. de Friedland
Arc de Triomphe
4
CHARLES DE GAULLE - ÉTOILE
PL. CH. DE GAULLE
Avenue Foch
Musée Ennery
55
Musée de la Contrefaçon
47
Avenue Hugo
Av. Kléber
KLÉBER
GEORGE V
ST-PHILIPPE DU ROULE
Av. des Champs Élysées
Rue La Boétie
Rue de Berri
Av. Bugeaud
VICTOR HUGO
Pl. V. Hugo
R. Copernic
Rue des Belles Feuilles
Av. Victor Hugo
Rue de Longchamp
Place des Etats-Unis
Avenue Marceau
BOISSIÈRE
Rue Saint-Didier
Avenue d'Iéna
Rue Pierre 1er de Serbie
FRANKLIN D. ROOSEVELT
Av. Montaigne
Rue François 1er
Musée Guimet
65
57
Palais Galliera
IÉNA
Pl. d'Iéna
Av. du Prés. Wilson
Palais du Cinéma
35
Musée d'Art Moderne
ALMA-MARCEAU
Pl. de l'Alma
Cours Albert 1er
LA SEINE
Pont de l'Alma
PONT DE L'ALMA
TROCADÉRO
Place du Trocadéro
Palais de Chaillot
32
Jardins du Trocadéro
Av. de New York
Pl. de Varsovie
Quai Branly
Quai d'Orsay
Av. Bosquet
Rue de l'Université
R. St-Dominique
Av. Rapp
Tour Eiffel
53
Av. G. Mandel
Av. d'Eylau
Av. Paul Doumer
Place de Costa Rica
Av. Raymond Poincaré
D
E
F
1
2
3
4
5
6
8
13

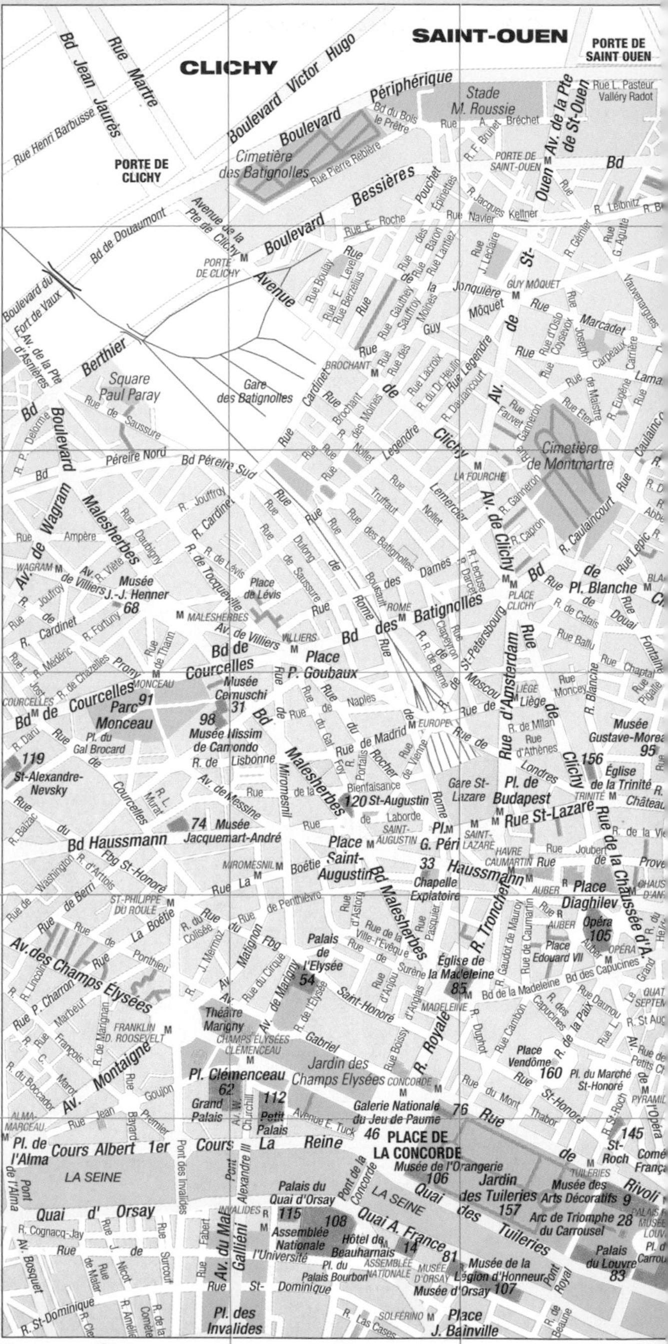

CENTRAL NORTH

SAINT-OUEN
PORTE DE SAINT OUEN
CLICHY
PORTE DE CLICHY
Bd Jean Jaurès
Rue Martre
Rue Henri Barbusse
Boulevard Victor Hugo
Périphérique
Bd du Bois le Prêtre
Stade M. Roussie
Rue L. Pasteur Vallery Radot
Av. de la Pte de St-Ouen
Boulevard Bessières
Cimetière des Batignolles
Rue Pierre Rebière
Rue A. Bréchet
R. F. Brunet
PORTE DE SAINT-OUEN
Avenue de la Pte de Clichy
Bd de Douaumont
Boulevard du Fort de Vaux
Av. de la Pte d'Asnières
Boulevard Berthier
Square Paul Paray
Gare des Batignolles
Rue de Saussure
Bd Péreire Nord
Bd Péreire Sud
Rue Pouchet
Rue des Épinettes
R. Jacques Kellner
Rue Navier
R. Leibnitz
Rue E. Roche
Rue Boulay
Rue E. Level
Rue Berzelius
Rue Gauthey
Rue Sauffroy
Rue des Moines
Rue Lantiez
Rue Baron
Rue J. Leclaire
Rue Jonquière
Guy Môquet
GUY MÔQUET
Avenue de St-Ouen
R. Gémier
R. G. Agutte
Rue Vauvenargues
Rue Marcadet
Rue d'Oslo
Rue Coysevox
Rue Joseph de Maistre
Rue Carpeaux
Rue Carrière
BROCHANT
Rue Cardinet
Rue Brochant
Rue des Moines
Rue Nollet
Rue Legendre
Rue Lacroix
R. du Dr Heulin
Rue Legendre
R. Davy
R. Dautancourt
Av. de Clichy
Rue Fauvet
Rue Ganneron
Rue Etex
Rue Eugène Carrière
Cimetière de Montmartre
Rue Caulaincourt
LA FOURCHE
Rue Truffaut
Rue Lemercier
R. Ganneron
R. Capron
Rue Lepic
Bd de Clichy
Pl. Blanche
Rue des Dames
R. Lécluse
R. Darcet
PLACE CLICHY
R. de Calais
Rue de Douai
Rue Ballu
Rue Fontaine
Rue Chaptal
Rue Pigalle
R. P. Delorme
Bd Malesherbes
Boulevard de Wagram
Rue Daubigny
R. Jouffroy
R. Cardinet
Rue Ampère
WAGRAM
R. Viète
Av. de Villiers
Musée J.-J. Henner 68
R. Fortuny
MALESHERBES
R. de Lévis
R. de Tocqueville
Place de Lévis
Rue Dulong
Rue de Saussure
Rue de Rome
Rue des Batignolles
Rue Boursault
ROME
Bd des Batignolles
Rue Clapeyron
R. de Berne
Rue de St-Pétersbourg
Rue d'Amsterdam
Rue de Moscou
Rue de Turin
R. de Jouffroy
Rue Cardinet
R. Médéric
Rue L. Jost
Rue Prony
Rue de Thann
Av. de Villiers
VILLIERS
Bd de Courcelles
Place P. Goubaux
Rue de Naples
R. de Chazelles
MONCEAU
COURCELLES
Bd de Courcelles
Parc Monceau 91
Musée Cernuschi 31
98 Musée Nissim de Camondo
Rue de Lisbonne
Bd Malesherbes
Rue de Madrid
Rue du Rocher
Rue de Vienne
Rue Portalis
R. Foy
Rue du Général Foy
EUROPE
Rue de Liège
LIÈGE
Rue Moncey
R. Blanche
Musée Gustave-Moreau 95
Pl. du Gal Brocard
R. Daru
119 St-Alexandre-Nevsky
Rue de Courcelles
R. L. Murat
Av. de Messine
Rue Miromesnil
Rue de la Bienfaisance
120 St-Augustin
Rue Laborde
Gare St-Lazare
Rue de Rome
Pl. de Budapest
R. de Milan
Rue d'Athènes
Rue de Londres
Rue de Clichy
156 Église de la Trinité
TRINITÉ
R. Châteaudun
Rue Balzac
Rue du Fbg St-Honoré
74 Musée Jacquemart-André
Bd Haussmann
Place Saint-Augustin
SAINT-AUGUSTIN
Pl. G. Péri
SAINT-LAZARE
Rue St-Lazare
Rue de la Chaussée d'Antin
R. de la Victoire
Rue Joubert
Rue de Provence
R. Washington
R. d'Artois
MIROMESNIL
Rue La Boétie
33 Chapelle Expiatoire
HAVRE CAUMARTIN
Bd Haussmann
Place Diaghilev
CHAUSSÉE D'ANTIN
AUBER
Rue de Berri
ST-PHILIPPE DU ROULE
Rue de Penthièvre
R. du Colisée
Rue d'Astorg
Rue de la Ville-l'Évêque
Rue Pasquier
R. Tronchet
Rue Gaudot de Mauroy
Rue de Caumartin
Opéra 105
OPÉRA
Place Édouard VII
Av. des Champs Élysées
Rue de Ponthieu
R. J. Mermoz
Av. Matignon
Rue du Fbg St-Honoré
Palais de l'Élysée 54
Rue de Surène
Église de la Madeleine 85
Bd de la Madeleine
Bd des Capucines
R. Lincoln
R. P. Charron
Rue Marbeuf
Rue du Cirque
Av. de Marigny
R. de l'Élysée
Rue Saint-Honoré
Rue d'Anjou
Rue d'Aguesseau
MADELEINE
R. Duphot
Rue Cambon
Rue Daunou
R. des Capucines
Rue de la Paix
Rue St Augustin
Rue François Ier
FRANKLIN D. ROOSEVELT
R. de Marignan
Théâtre Marigny
CHAMPS ÉLYSÉES CLEMENCEAU
Av. Gabriel
Jardin des Champs Élysées
Rue Boissy d'Anglas
R. Royale
Place Vendôme
160 Pl. du Marché St-Honoré
Rue des Petits Champs
PYRAMIDES
Av. de l'Opéra
R. du Boccador
Rue Marbeuf
Av. Montaigne
Rue Goujon
Rue Bayard
Rue Jean Goujon
Pl. Clémenceau 62
Grand Palais
112 Petit Palais
Av. W. Churchill
Avenue E. Tuck
CONCORDE
Galerie Nationale du Jeu de Paume 76
Rue du Mont Thabor
Rue St-Honoré
Rue St-Roch
145 St-Roch
Comédie Française
ALMA-MARCEAU
Pl. de l'Alma
Cours Albert 1er
Cours La Reine
46 PLACE DE LA CONCORDE
Rue de Rivoli
Pont de l'Alma
LA SEINE
Pont des Invalides
Pont Alexandre III
Pont de la Concorde
Musée de l'Orangerie 106
Jardin des Tuileries 157
TUILERIES
Musée des Arts Décoratifs 9
PALAIS ROYAL MUSÉE DU LOUVRE
Quai d'Orsay
Palais du Quai d'Orsay
LA SEINE
Quai des Tuileries
Arc de Triomphe du Carrousel 28
Pl. du Carrousel
R. Cognacq-Jay
Rue J. Nicot
Av. Bosquet
Rue de l'Université
Rue Surcouf
Rue Fabert
INVALIDES
115
108 Assemblée Nationale
Hôtel de Beauharnais 14
Quai A. France 81
Musée de la Légion d'Honneur
Pont Royal
Palais du Louvre 83
Rue de Malar
Av. du Maréchal Gallieni
Pl. du Palais Bourbon
ASSEMBLÉE NATIONALE
MUSÉE D'ORSAY
Musée d'Orsay 107
Rue St-Dominique
R. St-Dominique
R. Amélie
R. de la Comète
R. Cler
Pl. des Invalides
R. Las Cases
SOLFÉRINO
Place J. Bainville
R. de Beaune

1 2 3 4 5 6
A B C

7
14

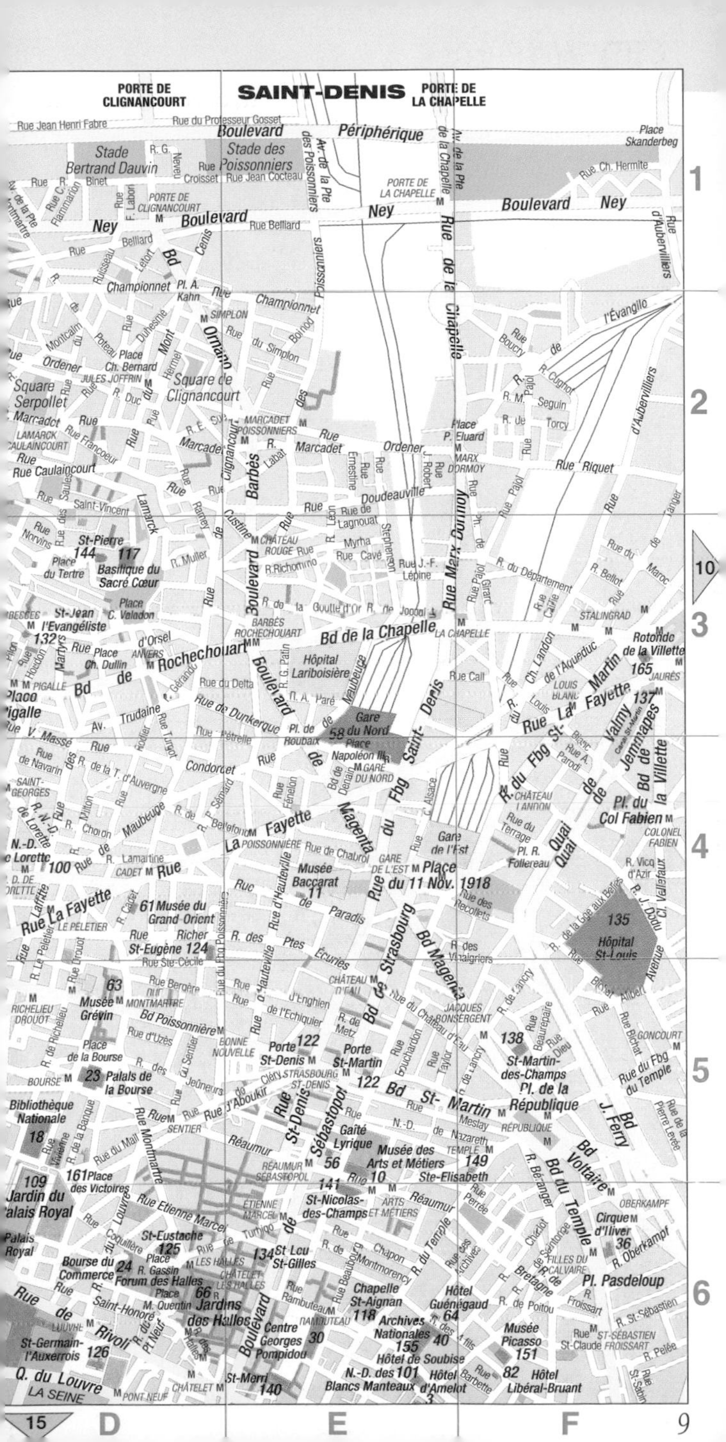

PORTE DE CLIGNANCOURT
SAINT-DENIS
PORTE DE LA CHAPELLE
Rue Jean Henri Fabre
Rue du Professeur Gosset
Boulevard Périphérique
Place Skanderbeg
Stade Bertrand Dauvin
Stade des Poissonniers
Rue Jean Cocteau
Av. de la Pte des Poissonniers
Av. de la Pte de la Chapelle
Rue Ch. Hermite
Boulevard Ney
Rue d'Aubervilliers
Rue de la Chapelle
Rue Belliard
Championnet
SIMPLON
Ornano
Square de Clignancourt
JULES JOFFRIN
Square Serpollet
Ordener
Marcadet
MARCADET POISSONNIERS
Place P. Eluard
MARX DORMOY
Rue Riquet
Rue Caulaincourt
LAMARCK CAULAINCOURT
Barbès
Doudeauville
CHÂTEAU ROUGE
Rue Marx Dormoy
R. du Département
St-Pierre
Basilique du Sacré Cœur
Place du Tertre
Place C. Valadon
St-Jean l'Évangéliste
BARBÈS ROCHECHOUART
Bd de la Chapelle
LA CHAPELLE
STALINGRAD
Rotonde de la Villette
JAURÈS
Hôpital Lariboisière
Bd de Rochechouart
ANVERS
PIGALLE
Place Pigalle
Gare du Nord
Place Napoléon III
GARE DU NORD
Rue La Fayette
Rue du Fbg St-Martin
Rue du Fbg Saint-Denis
Quai de Valmy
Quai de Jemmapes
Bd de la Villette
CHÂTEAU LANDON
Pl. du Col Fabien
COLONEL FABIEN
Gare de l'Est
GARE DE L'EST
Place du 11 Nov. 1918
Musée Baccarat
POISSONNIÈRE
CADET
N.-D. de Lorette
LE PELETIER
Musée du Grand Orient
St-Eugène
Hôpital St-Louis
Bd de Strasbourg
Bd Magenta
CHÂTEAU D'EAU
JACQUES BONSERGENT
Musée Grévin
RICHELIEU DROUOT
Bd Poissonnière
BONNE NOUVELLE
Porte St-Denis
Porte St-Martin
STRASBOURG ST-DENIS
Bd St-Martin
St-Martin-des-Champs
Pl. de la République
RÉPUBLIQUE
Palais de la Bourse
BOURSE
Bibliothèque Nationale
SENTIER
Rue Réaumur
Gaîté Lyrique
Musée des Arts et Métiers
TEMPLE
Ste-Elisabeth
RÉAUMUR SÉBASTOPOL
Bd Voltaire
Bd du Temple
OBERKAMPF
Cirque d'Hiver
Place des Victoires
Jardin du Palais Royal
Palais Royal
Rue Etienne Marcel
ÉTIENNE MARCEL
St-Nicolas-des-Champs
ARTS ET MÉTIERS
St-Eustache
Bourse du Commerce
Forum des Halles
LES HALLES
CHÂTELET LES HALLES
St-Leu St-Gilles
Chapelle St-Aignan
Hôtel Guénégaud
FILLES DU CALVAIRE
Pl. Pasdeloup
Jardins des Halles
Centre Georges Pompidou
RAMBUTEAU
Archives Nationales
Hôtel de Soubise
Musée Picasso
ST-SÉBASTIEN FROISSART
Rue de Rivoli
St-Germain-l'Auxerrois
Q. du Louvre
LA SEINE
PONT NEUF
CHÂTELET
St-Merri
N.-D. des Blancs Manteaux
Hôtel d'Amelot
Hôtel Libéral-Bruant
D
E
F
1
2
3
4
5
6
10
15

NORTH-EAST

AUBERVILLIERS

Place Skanderberg
Rue Ch. Hermite
Boulevard Ney
Boulevard MacDonald
Rue d'Aubervilliers
Quai de l'Allier
Quai du Lot
Quai de la Gironde
Quai de la Charente
Place Auguste Baron
Rue du Chemin de Fer
PORTE DE LA VILLETTE
Boulevard MacDonald
Cariou
Cité des Sciences et de l'Industrie 39
59 La Géode
CORENTIN CARIOU
Cambrai
Curial
Rue Gaston Tessier
l'Évangile
Rue de l'Ourcq
Av. C.
Flandre
Place de l'Argonne
R. Barbanègre
Canal de l'Ourcq
Zénith
Parc de la Villette 164
Boulevard Sérurier
La Grande Halle
Cité de la Musique 38
PORTE DE PANTIN
Rue Boucry
R. Cugnot
R. Pajol
R. M. Seguin
R. de Torcy
Rue L. Rouillon
Rue de l'Archereau
Rue de Crimée
Rue Mathis
CRIMÉE
Rue de Nantes
l'Oise
Rue de Joinville
Rue Curial
Rue Riquet
Rue Pajol
Rue de Tanger
RIQUET
Quai de la Marne
Quai de la Seine
Quai de la Loire
Thionville
Rue des Ardennes
R. A. Mille
Jean Jaurès
Rue L. Giraud
Rue de l'Ourcq
OURCQ
Rue E. Jumin
Pl. du Gal Cochet
Rue du Maroc
R. du Département
R. Bellot
Bassin de la Villette
Rue Tandou
LAUMIÈRE
Rue Petit
R. Goubet
Rue Manin
Bd Sérurier
Rue Caillié
STALINGRAD
Rotonde de la Villette
165 JAURÈS
Av. Jean Jaurès
R. de Meaux
Rue du Rhin
Av. de Laumière
Rue Cavendish
Armand Carrel
Place A. Carrel
Rue d'Hautpoul
R. de la R. G. Pinot
Solidarité
Rue David d'Angers
DANUBE
R. Brunet
R. Ch. Landon
Rue de l'Aqueduc
LOUIS BLANC
Rue La Fayette
Martin
137 Jemmapes
Valmy
Canal St-Martin
BOLIVAR
Rue Bouret
Rue E. Pailleron
Parc des Buttes-Chaumont 25
R. Compans
R. M. Hidalgo
Rue du Gal Brunet
BOTZARIS
Rue de Mouzaïa
R. de Bellevue
Rue Botzaris
Rue du Fbg St-Denis
Rue Louis Blanc
Rue A. Parodi
Quai de Valmy
Quai de Jemmapes
Bd de la Villette
CHÂTEAU LANDON
Rue du Terrage
Pl. du Col Fabien
COLONEL FABIEN
Av. Simon Bolivar
Av. Secrétan
Moreau
Hôpital Rothschild
Rue du Plateau
BUTTES CHAUMONT
Rue de la Villette
Rue des Annelets
Rue de Crimée
PLACE DES FÊTES
Place des Fêtes
Rue des Solitaires
R. Carducci
Rue Fessart
Pl. R. Follereau
R. Vicq d'Azir
R. J. Dodu
Cl. Vellefaux
R. J. Moinon
Av. S. Bolivar
Rue de l'Atlas
Rue Pradier
Rue Mélingue
St-J.-Baptiste de Belleville 130
JOURDAIN
Rue de la Gge aux Belles
135 Hôpital St-Louis
Bd de la Villette
Rue du Chalet
Rue Rebeval
R. J. Romain
Rue Rampal
Rue Clavel
PYRÉNÉES
Rue de Belleville
Rue des Pyrénées
Rue Levert
R. F. Lemaître
R. O. Métra
R. Pixérécourt
R. de Lancry
Rue Bichat
Rue Alibert
Avenue Richerand
R. St-Maur
BELLEVILLE
R. de Tourtille
R. Ramponeau
R. Bisson
Rue Piat
Parc de Belleville
R. des Rigoles
Place du Guignier
Rue de l'Ermitage
R. des Cascades
Rue de la Mare
Rue Beaurepaire
Rue Dieu
138 St-Martin-des-Champs
GONCOURT
Rue du Fbg du Temple
Rue de l'Orillon
Rue de Vaucouleurs
Rue Morand
Rue Jouye-Rouve
Rue des Couronnes
Rue Lacroix
Rue H. Chevreau
Rue de Ménilmontant
R. des Pyrénées
Rue du Retrait
Pl. de la République
RÉPUBLIQUE
Bd J. Ferry
Rue de la Pierre Levée
R. de la Fontaine au Roi
COURONNES
Bd de Belleville
Rue des Maronites
Rue E. Dolet
Rue Delaître
Rue des Panoyaux
Rue Boyer
R. de la Sorbier
Bidassoa
R. d'Annam
R. Orfila
R. Béranger
Bd Voltaire
Bd du Temple
Rue J.P. Timbaud
Rue Moret
MÉNILMONTANT
Boulevard de Ménilmontant
Rue des Cendriers
Rue Duris
Rue des Amandiers
GAMBETTA
Av. de la République
Rue Oberkampf
OBERKAMPF
PARMENTIER
Rue St-Maur
SAINT-MAUR
Av. J. Aicard
R. des Bluets
Rue de Tlemcen
R. F. Léger
R. Robineau
Avenue Gambetta
Cirque d'Hiver 36
R. Oberkampf
Rue Charlot
R. de Saintonge
FILLES DU CALVAIRE
R. de la Folie Méricourt
Av. Parmentier
Rue Maur
Rue Servan
PÈRE LACHAISE
Cimetière du Père Lachaise
R. de Bretagne
Pl. Pasdeloup
R. Froissart
R. de Poitou
Bd Voltaire
SAINT-AMBROISE
Rue St-Ambroise
Rue Lacharrière
Rue du Chemin Vert
Rue Duranti
Rue de la Folie-Regnault
Rue Merlin
Musée Picasso 151
Rue St-Claude
R. St-Sébastien
ST-SÉBASTIEN FROISSART
R. Pelée
RICHARD LENOIR
Rue R. Pétion
Rue St-Maur
Rue Servan
Ménilmontant
82 Hôtel Libéral-Bruant
Rue St-Sabin
R. du Chemin Vert
Place L. Blum
VOLTAIRE
R. de la Roquette
PHILIPPE AUGUSTE
Rue du Repos

1 2 3 4 5 6
A B C

9
16

PANTIN
Avenue Jean Lolive
PORTE DE PANTIN
LE PRÉ SAINT-GERVAIS
LES LILAS
Boulevard Périphérique
Rue de Paris
PORTE DES LILAS
Pl. du Maquis du Vercors
Hôpital R. Debré
Parc de la Butte Rouge
Sérurier
Bd Mortier
Av. Gambetta
Cimetière de Belleville
Rue St-Fargeau
SAINT-FARGEAU
Square E. Fleury
Avenue Gambetta
PELLEPORT
Hôpital Tenon
GAMBETTA
R. Belgrand
Pl. de la Pte de Bagnolet
PORTE DE BAGNOLET
BAGNOLET
Jardins Debrousse
Bd Davout
Rue des Pyrénées
Place des Grés
1
2
3
4
5
6
D
E
F
12
17

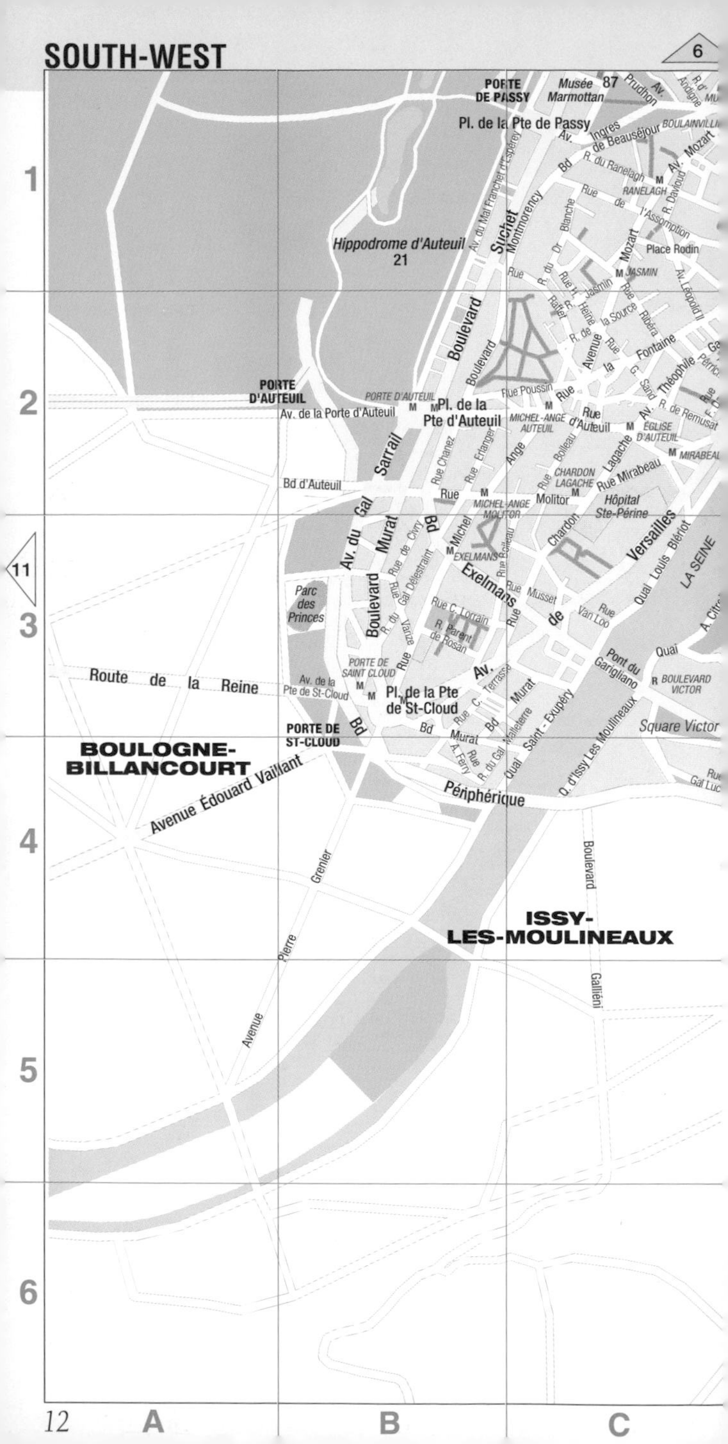
PORTE DE PASSY
Musée Marmottan
87
Pl. de la Pte de Passy
Hippodrome d'Auteuil
21
PORTE D'AUTEUIL
Av. de la Porte d'Auteuil
Pl. de la Pte d'Auteuil
Bd d'Auteuil
Boulevard Suchet
Av. du Gal Sarrail
Boulevard Murat
Rue Michel-Ange
Rue d'Auteuil
Rue Mirabeau
Hôpital Ste-Périne
Bd Exelmans
Rue de Versailles
Quai Louis Blériot
LA SEINE
Parc des Princes
PORTE DE SAINT CLOUD
Pl. de la Pte de St-Cloud
PORTE DE ST-CLOUD
Route de la Reine
Av. de la Pte de St-Cloud
Pont du Garigliano
Square Victor
Quai Saint-Exupéry
Q. d'Issy Les Moulineaux
Périphérique
BOULOGNE-BILLANCOURT
Avenue Édouard Vaillant
Avenue Pierre Grenier
ISSY-LES-MOULINEAUX
Boulevard Galliéni
11
1
2
3
4
5
6
A
B
C

7

Tour Eiffel
53
Parc du Champ-de-Mars
52
Place de Costa Rica
Maison de Balzac
116
Pl. C. Ader
Avenue du Président Kennedy
LA SEINE
Quai de Grenelle
Pont de Bir Hakeim
Pont de Grenelle
Place Dupleix
de Grenelle
Place Joffre
Ecole Militaire
52
Place de Fontenoy
158
U.N.E.S.C.O.
Place Cambronne
Bd Garibaldi
U.N.E.S.C.O. (Annexe)
St-Christophe-de-Javel
121
Hôpital Boucicault
Parc Citroën
Place du Commerce
Pl. E. Pernet
Place A. Chérioux
Rue de Vaugirard
Rue Lecourbe
Cimetière de Vaugirard
Bd Victor
Pl. de la Pte de Versailles
Parc des Expositions
Boulevard Lefebvre
Square G. Brassens
Pl. des Insurgés de Varsovie
Stade de la Pte de la Plaine
PORTE SÈVRES
PORTE D'ISSY
PORTE DE VERSAILLES
PORTE DE VANVES
VANVES
MALAKOFF
Bd Adolphe Pinard
Boulevard Gabriel Péri
Avenue Pierre Brossolette
Avenue Victor Hugo
Rue Jean Bleuzen
Boulevard du Lycée
D
E
F
1
2
3
4
5
6

14

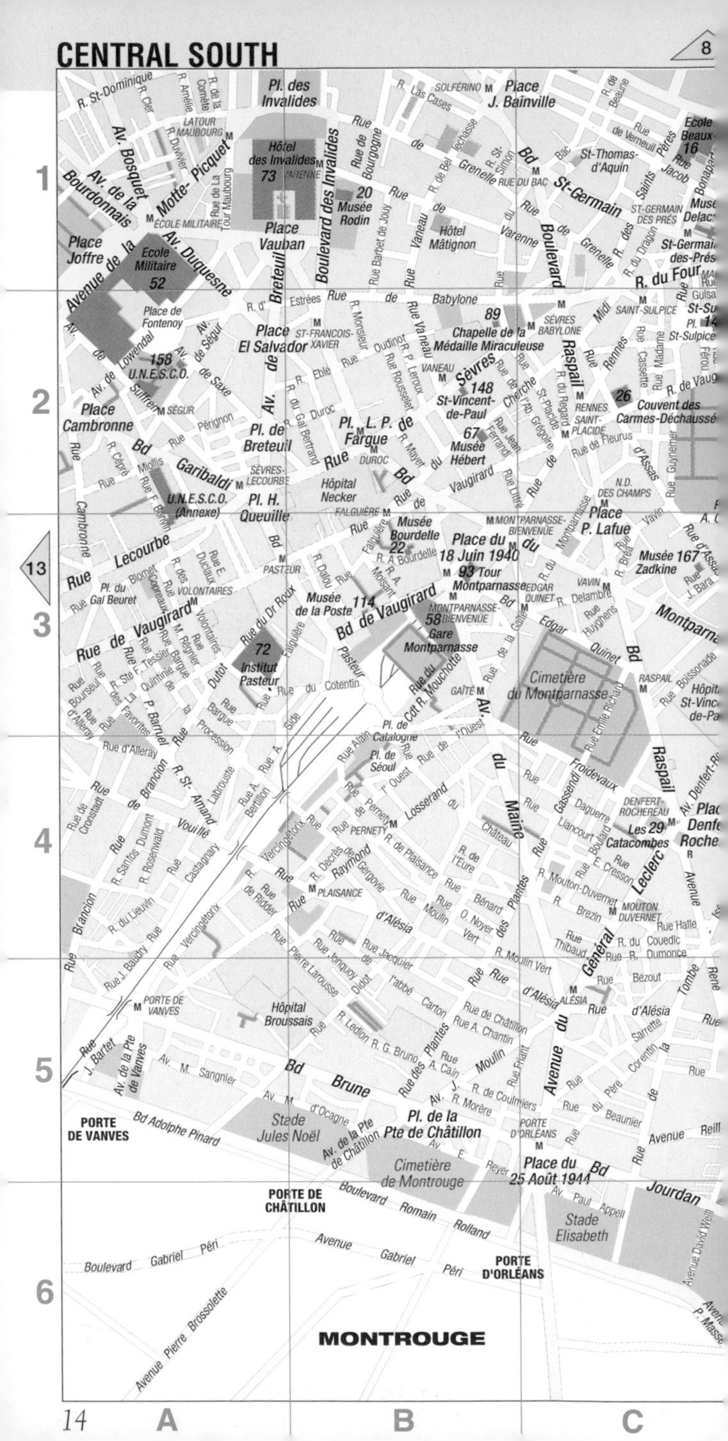
Pl. des Invalides
Hôtel des Invalides 73
Place Vauban
Boulevard des Invalides
20 Musée Rodin
Hôtel Mâtignon
Place J. Bainville
St-Thomas-d'Aquin
Bd St-Germain
Ecole Beaux- 16
Musée Delac
St-Germain-des-Prés
R. du Four
Av. Bosquet
Av. de la Bourdonnais
Av. de la Motte-Picquet
Place Joffre
Avenue de la
Ecole Militaire 52
Av. Duquesne
Place de Fontenoy
158 U.N.E.S.C.O.
Place Cambronne
Place El Salvador
Rue de Babylone
89 Chapelle de la Médaille Miraculeuse
Sèvres
148 St-Vincent-de-Paul
67 Musée Hébert
26 Couvent des Carmes-Déchaussés
Bd Raspail
Pl. de Breteuil
Pl. L. P. de Fargue
Hôpital Necker
Bd Garibaldi
U.N.E.S.C.O. (Annexe)
Pl. H. Queuille
Rue Lecourbe
Rue Cambronne
Musée Bourdelle 22
Place du 18 Juin 1940
93 Tour Montparnasse
Place P. Lafue
Musée 167 Zadkine
Rue de Vaugirard
72 Institut Pasteur
Musée de la Poste 114
Bd de Vaugirard
58 Gare Montparnasse
Cimetière du Montparnasse
Bd Montparnasse
Bd Pasteur
Av. du Maine
Bd Edgar Quinet
Rue Froidevaux
Les 29 Catacombes
Pl. Denfert-Rochereau
Av. du Général Leclerc
Rue d'Alésia
Rue Raymond Losserand
Hôpital Broussais
Bd Brune
Pl. de la Pte de Châtillon
PORTE DE VANVES
Stade Jules Noël
Cimetière de Montrouge
Place du 25 Août 1944
Bd Jourdan
Stade Elisabeth
PORTE DE CHÂTILLON
PORTE D'ORLÉANS
Boulevard Romain Rolland
Avenue Gabriel Péri
Avenue Pierre Brossolette
MONTROUGE
13
1
2
3
4
5
6
A
B
C

9

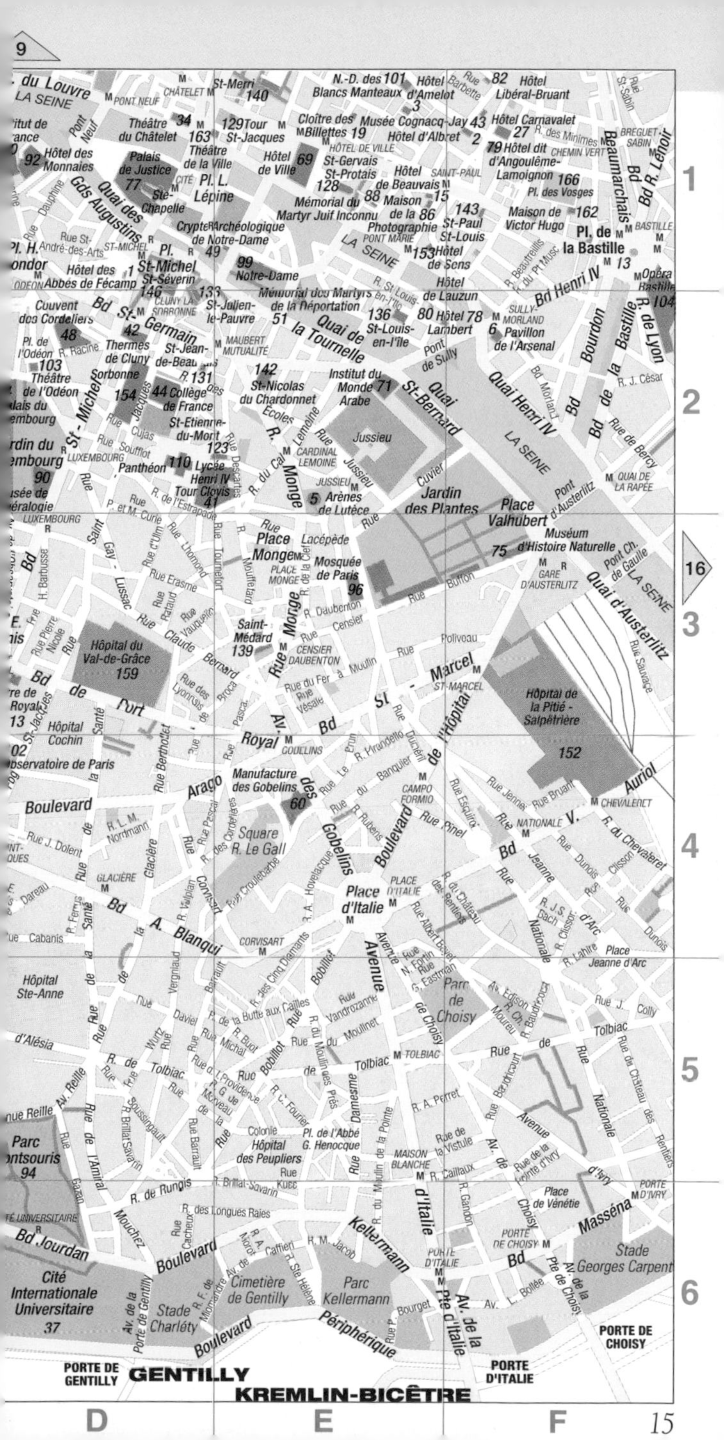
du Louvre
LA SEINE
PONT NEUF
CHÂTELET
St-Merri
140
N.-D. des Blancs Manteaux
101
Hôtel d'Amelot
3
Rue Barbette
82
Hôtel Libéral-Bruant
Rue St-Sabin
Pont Neuf
Théâtre du Châtelet
34
163
129
Tour St-Jacques
Cloître des Billettes
19
Musée Cognacq-Jay
43
Hôtel d'Albret
2
Hôtel Carnavalet
27
R. des Minimes
BREGUET-SABIN
Beaumarchais
Bd
Bd R. Lenoir
92
Hôtel des Monnaies
Palais de Justice
77
CITÉ
Théâtre de la Ville
Pl. L. Lépine
Hôtel de Ville
69
HÔTEL DE VILLE
St-Gervais St-Protais
128
Hôtel de Beauvais
Hôtel dit d'Angoulême-Lamoignon
79
CHEMIN VERT
166
Pl. des Vosges
1
Ste-Chapelle
Gds Augustins
Quai des
Dauphine
Mémorial du Martyr Juif Inconnu
88
Maison de la Photographie
86
15
SAINT-PAUL
143
Hôtel St-Paul St-Louis
Maison de Victor Hugo
162
Rue St-André-des-Arts
ST-MICHEL
Pl. St-Michel
Crypte Archéologique de Notre-Dame
49
PONT MARIE
LA SEINE
153
Hôtel de Sens
Pl. de la Bastille
BASTILLE
R. Beautreillis
R. du Pt Musc
13
Opéra Bastille
Hôtel des Abbés de Fécamp
1
St-Séverin
ODÉON
99
Notre-Dame
Mémorial des Martyrs de la Déportation
R. St-Louis en-l'Île
Hôtel de Lauzun
Bd Henri IV
146
133
CLUNY LA SORBONNE
St-Julien-le-Pauvre
51
136
St-Louis-en-l'Île
80
Hôtel Lambert
78
SULLY-MORLAND
6
Pavillon de l'Arsenal
Bourdon
Bd de la Bastille
R. de Lyon
104
Couvent des Cordeliers
48
Bd St-Germain
42
Quai de la Tournelle
MAUBERT MUTUALITÉ
Pont de Sully
Pl. de l'Odéon
R. Racine
103
Théâtre de l'Odéon
Thermes de Cluny
St-Jean-de-Beauvais
131
Sorbonne
142
St-Nicolas du Chardonnet
Institut du Monde Arabe
71
Quai St-Bernard
Quai Henri IV
Bd Morland
R. J. César
2
154
Jacques
44
Collège de France
St-Etienne-du-Mont
Écoles
Lemoine
Jussieu
LA SEINE
Rue de Bercy
St-Michel
Rue Cujas
Rue Soufflot
LUXEMBOURG
Panthéon
110
Lycée Henri IV
Tour Clovis
41
123
Rue Descartes
R. du Card.
R. Monge
CARDINAL LEMOINE
Rue Jussieu
JUSSIEU
5
Arènes de Lutèce
Cuvier
Jardin des Plantes
Pont d'Austerlitz
QUAI DE LA RAPÉE
90
Rue P. et M. Curie
R. de l'Estrapade
Place Valhubert
LUXEMBOURG
Saint
Rue Gay-Lussac
Rue d'Ulm
Rue Lhomond
Rue Tournefort
Rue Mouffetard
Place Monge
MONGE
PLACE MONGE
Rue Lacépède
R. de la Clef
Mosquée de Paris
96
Rue Buffon
Muséum d'Histoire Naturelle
75
GARE D'AUSTERLITZ
Pont Ch. de Gaulle
LA SEINE
Quai d'Austerlitz
16
Bd
H. Barbusse
Rue Erasme
Rue Rataud
Rue Vauquelin
Rue Claude Bernard
R. Daubenton
Rue Censier
3
Rue Pierre Nicole
Hôpital du Val-de-Grâce
159
Saint-Médard
139
Rue Monge
CENSIER DAUBENTON
Rue Poliveau
Rue Sauvage
Hôpital de la Pitié-Salpêtrière
Bd de Port Royal
Rue des Lyonnais
Broca
Pascal
Rue du Fer à Moulin
Rue Vésale
Bd St-Marcel
ST-MARCEL
Rue de l'Hôpital
Hôpital Cochin
Santé
Rue Berthollet
Av. des Gobelins
GOBELINS
R. Pirandello
Duméril
Rue Le Brun
Rue du Banquier
152
Observatoire de Paris
Arago
Manufacture des Gobelins
60
CAMPO FORMIO
Rue Esquirol
Rue Jenner
Rue Bruant
Auriol
CHEVALERET
Boulevard
Rue de la Santé
R. L. M. Nordmann
Rue Pascal
Rue des Cordelières
Square R. Le Gall
Gobelins
R. Rubens
Boulevard
Rue Pinel
NATIONALE
Bd V.
Rue du Chevaleret
4
Rue J. Dolent
Glacière
Rue Croulebarbe
Hovelacque
Place d'Italie
PLACE D'ITALIE
R. du Château des Rentiers
Rue Jeanne d'Arc
Rue Dunois
Clisson
GLACIÈRE
Dareau
R. Ferrus
Bd A. Blanqui
Corvisart
R. Vulpian
R. A.
Rue Albert Bayet
R. J. S. Bach
R. Clisson
Rue Nationale
Cabanis
CORVISART
R. des Cinq Diamants
Bobillot
Avenue
Rue N. Fortin
Rue G. Eastman
R. Lahire
Place Jeanne d'Arc
Hôpital Ste-Anne
Rue de la
Vergniaud
Barrault
Rue Daviel
R. de la Butte aux Cailles
Rue Vandrezanne
Parc de Choisy
Av. Edison
R. Ch. Moureu
R. Baudricourt
Rue J. Colly
d'Alésia
Wurtz
Rue Michal
R. Buot
R. du Moulin des Prés
Rue du Moulinet
de Choisy
Tolbiac
Rue de
Rue du Château des Rentiers
R. de Tolbiac
Rue de l'Providence
Rue Bobillot
Tolbiac
TOLBIAC
5
Av. Reille
Rue Soussingault
R. G. de Mouveau
R. C. Fourier
Damesme
R. A. Perret
Avenue
Rue Nationale
Avenue Reille
Rue de l'Amiral
R. Brillat Savarin
Rue Barrault
Colonie
Hôpital des Peupliers
Pl. de l'Abbé G. Henocque
R. du Moulin de la Pointe
MAISON BLANCHE
Rue de la Vistule
Av. de
Rue de la Pointe d'Ivry
d'Ivry
Parc Montsouris
94
Rue Gazan
R. de Rungis
R. Brillat-Savarin
R. Caillaux
R. Gandon
Place de Vénétie
PORTE D'IVRY
CITÉ UNIVERSITAIRE
R. des Longues Raies
Rue Cacheux
Mouchez
R. A. Morot
R. M. Jacob
Kellermann
d'Italie
Choisy
PORTE DE CHOISY
Masséna
Bd Jourdan
Boulevard
Caffieri
R. Ste Hélène
PORTE D'ITALIE
Bd
Stade Georges Carpent
Cité Internationale Universitaire
37
Av. de la Porte de Gentilly
R. F. de Miomandre
Stade Charléty
Cimetière de Gentilly
Parc Kellermann
Bourget
Av. de la Pte d'Italie
Av. L. Bollée
Pte de Choisy
Av. de la
6
Boulevard
Périphérique
Rue P.
PORTE DE CHOISY
PORTE DE GENTILLY
GENTILLY
KREMLIN-BICÊTRE
PORTE D'ITALIE
D
E
F

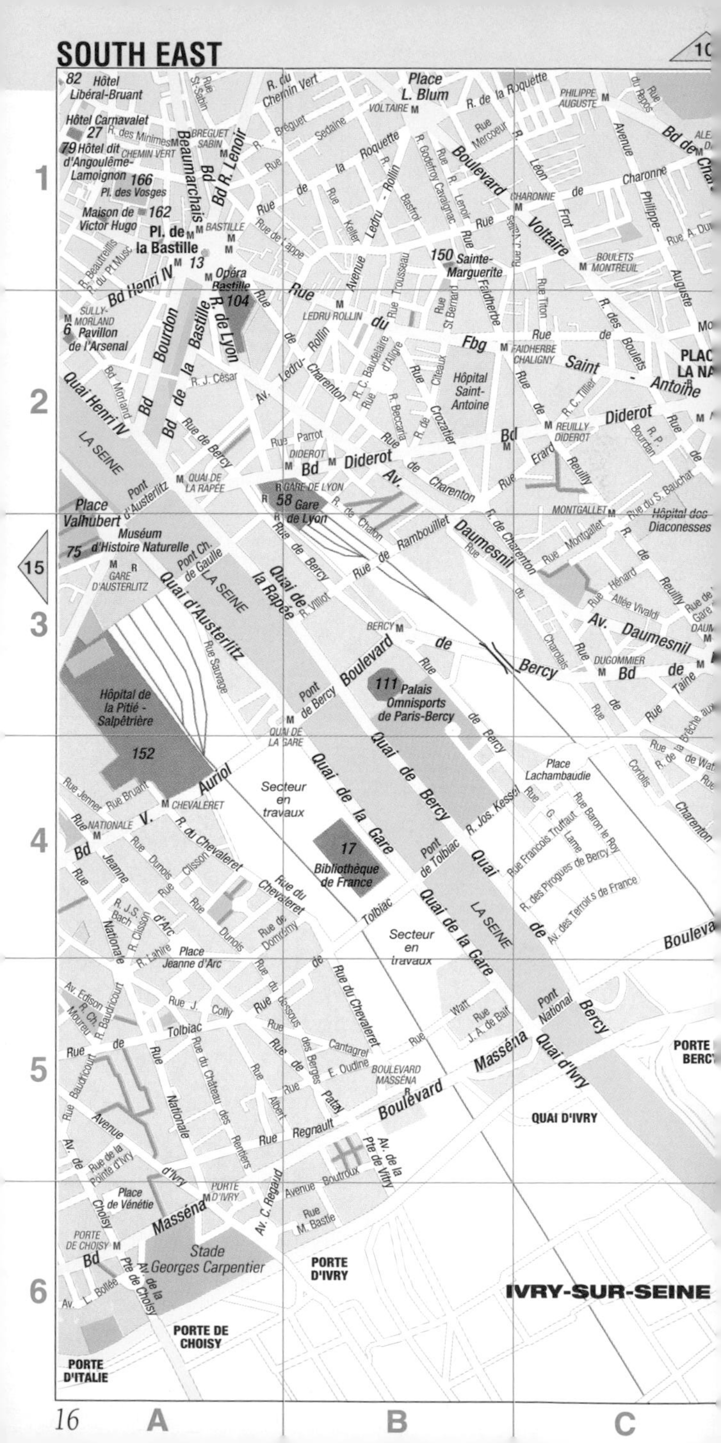
82 Hôtel Libéral-Bruant
Hôtel Carnavalet
27
79 Hôtel dit d'Angoulême-Lamoignon
166
Pl. des Vosges
Maison de Victor Hugo
162
Pl. de la Bastille
13
Opéra Bastille
104
Bd Henri IV
Sully-Morland
6 Pavillon de l'Arsenal
Bd Beaumarchais
Bd R. Lenoir
Bd Bourdon
Bd de la Bastille
R. de Lyon
Quai Henri IV
La Seine
Bd Morland
R. J. César
Rue de Bercy
Place Valhubert
Pont d'Austerlitz
Quai de la Rapée
Muséum d'Histoire Naturelle
75
Gare d'Austerlitz
Pont Ch. de Gaulle
Quai d'Austerlitz
Rue Sauvage
Hôpital de la Pitié-Salpêtrière
152
Quai de la Gare
Bd Auriol
Chevaleret
Rue Jenner
Rue Bruant
Nationale
Bd V. Auriol
R. du Chevaleret
Rue Dunois
Rue Clisson
Rue Jeanne d'Arc
Place Jeanne d'Arc
R. Lahire
R. J.S. Bach
R. Clisson
Rue Nationale
Rue J. Colly
Tolbiac
Av. Edison
R. Ch. Moureu
R. Baudricourt
Rue du Château des Rentiers
Avenue d'Ivry
Rue de la Pointe d'Ivry
Av. de Choisy
Place de Vénétie
Porte d'Ivry
Porte de Choisy
Masséna
Stade Georges Carpentier
Av. de la Pte de Choisy
Av. L. Bollée
Porte de Choisy
Porte d'Italie
R. du Chemin Vert
Place L. Blum
Voltaire
R. Bréguet
Rue Sedaine
Rue de la Roquette
R. Ledru-Rollin
R. Godefroy Cavaignac
Boulevard Voltaire
Rue de Lappe
Rue Keller
Rue Basfroi
Rue Trousseau
Avenue Ledru-Rollin
Ledru Rollin
Rue du Fbg Saint-Antoine
Rue de Charenton
R. C. Baudelaire
R. d'Aligre
Rue Cîteaux
Rue Crozatier
R. Beccaria
150 Sainte-Marguerite
Rue Faidherbe
Rue St Bernard
Faidherbe Chaligny
Hôpital Saint-Antoine
Rue Parrot
Diderot
Bd Diderot
Av. Daumesnil
Gare de Lyon
58 Gare de Lyon
R. de Chalon
Rue de Rambouillet
R. Villiot
Bercy
Boulevard de Bercy
Pont de Bercy
111 Palais Omnisports de Paris-Bercy
Quai de la Gare
Quai de Bercy
Secteur en travaux
17 Bibliothèque de France
Pont de Tolbiac
R. Jos. Kessel
Rue du Chevaleret
Rue de Domrémy
Rue du Dessous des Berges
Rue Cantagrel
E. Oudiné
Boulevard Masséna
Rue Regnault
Rue Albert
Rue de Patay
Av. de la Pte de Vitry
Rue Boutroux
Av. C. Regaud
Rue M. Bastié
Rue Watt
Rue J. A. de Baïf
Pont National
Quai d'Ivry
Quai de Bercy
Quai d'Ivry
Porte d'Ivry
R. de la Roquette
Philippe Auguste
Rue du Repos
Avenue Philippe-Auguste
Rue Mercoeur
Rue Léon Frot
Charonne
Rue de Charonne
Rue A. Dumas
Boulets Montreuil
Rue Titon
R. des Boulets
Rue de Reuilly
R. C. Tillier
Reuilly-Diderot
R. P. Bourdan
Rue Érard
Montgallet
Rue Montgallet
Rue du S. Bauchat
Hôpital des Diaconesses
R. de Charenton
Rue Hénard
Allée Vivaldi
Av. Daumesnil
Dugommier
Bd de Bercy
Rue du Charolais
Rue de Taine
Rue de la Brèche aux Loups
Place Lachambaudie
Rue Corbéra
Rue Baron le Roy
Rue François Truffaut
G. Lame
R. des Pirogues de Bercy
Av. des Terroirs de France
Boulevard
Porte de Bercy
Quai d'Ivry
Ivry-sur-Seine
1 2 3 4 5 6
A B C
15

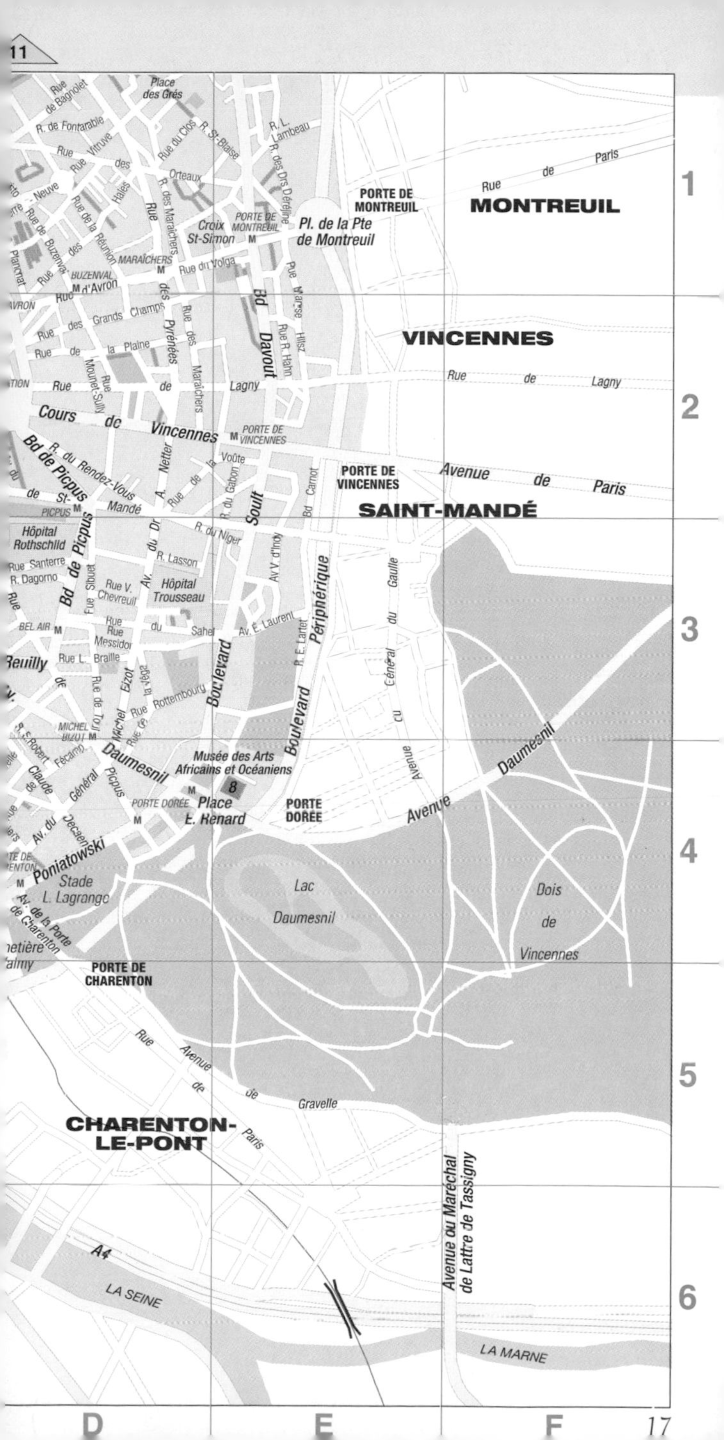

MONTREUIL
PORTE DE MONTREUIL
Pl. de la Pte de Montreuil
VINCENNES
PORTE DE VINCENNES
SAINT-MANDÉ
Rue de Paris
Rue de Lagny
Avenue de Paris
Cours de Vincennes
Bd de Picpus
Bd Davout
Bd Soult
Boulevard Périphérique
Avenue du Général de Gaulle
Avenue Daumesnil
Hôpital Rothschild
Hôpital Trousseau
Musée des Arts Africains et Océaniens
8
Place E. Renard
PORTE DORÉE
Stade L. Lagrange
PORTE DE CHARENTON
Lac Daumesnil
Bois de Vincennes
Avenue de Gravelle
Rue de Paris
CHARENTON-LE-PONT
Avenue du Maréchal de Lattre de Tassigny
A4
LA SEINE
LA MARNE
D
E
F
1
2
3
4
5
6

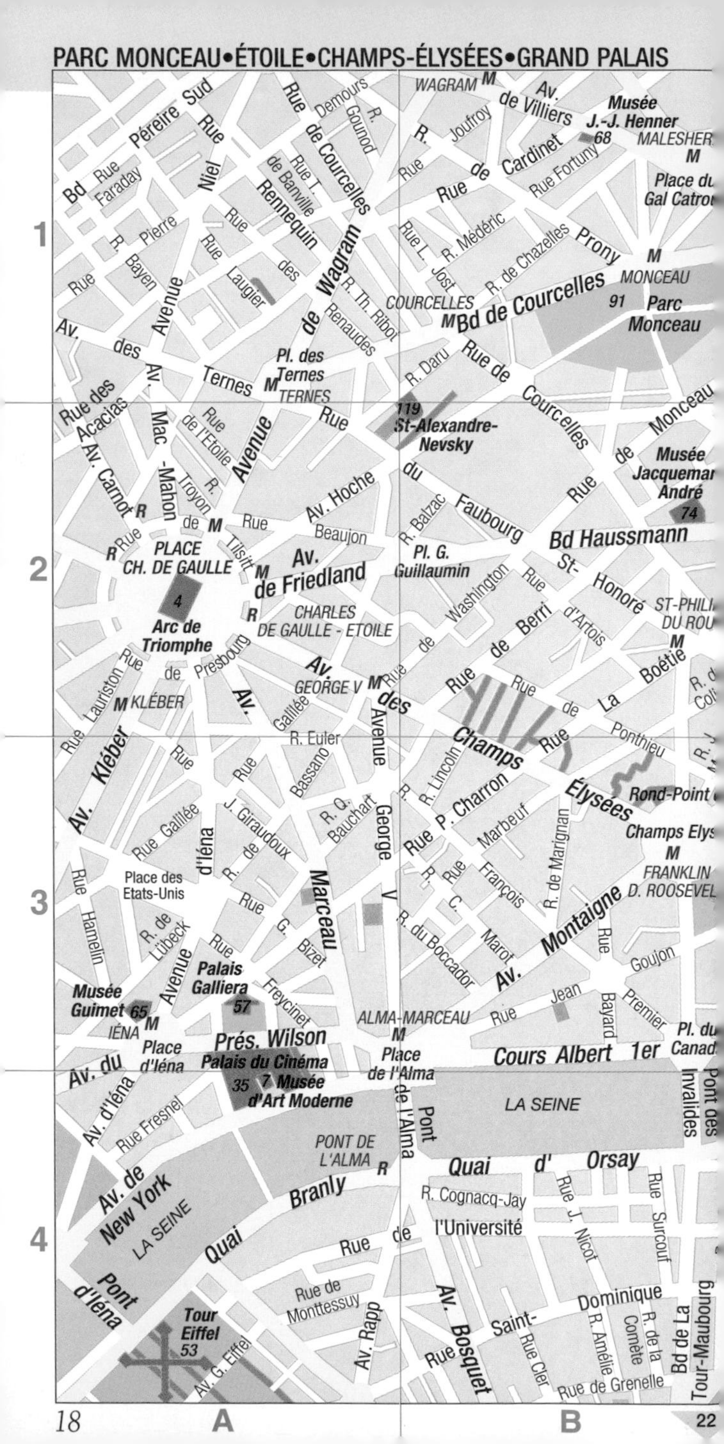
1
2
3
4
A
B
22

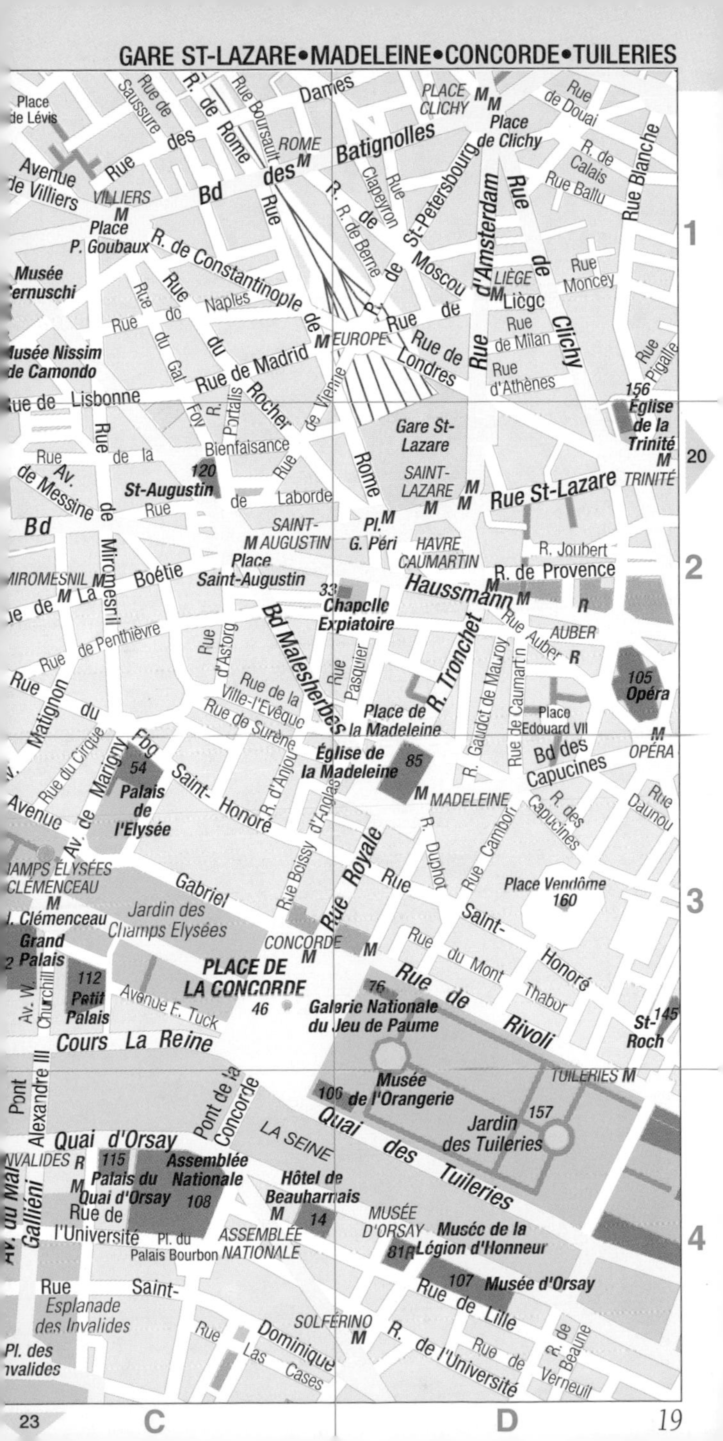

Place de Clichy
Bd des Batignolles
Rue de Rome
R. de Constantinople
Rue de Madrid
Rue de Lisbonne
Rue d'Amsterdam
Rue de Londres
Rue de Moscou
Rue de Clichy
Rue Blanche
Gare St-Lazare
Rue St-Lazare
Église de la Trinité
Musée Cernuschi
Musée Nissim de Camondo
St-Augustin
Place Saint-Augustin
Bd Haussmann
Chapelle Expiatoire
Bd Malesherbes
R. Tronchet
Place de la Madeleine
Église de la Madeleine
Bd des Capucines
Opéra
Palais de l'Elysée
Rue du Fbg Saint-Honoré
Rue Royale
Place Vendôme
Jardin des Champs Elysées
Grand Palais
Petit Palais
PLACE DE LA CONCORDE
Galerie Nationale du Jeu de Paume
Rue de Rivoli
Cours La Reine
Musée de l'Orangerie
Jardin des Tuileries
Quai des Tuileries
LA SEINE
Quai d'Orsay
Assemblée Nationale
Palais du Quai d'Orsay
Hôtel de Beauharnais
Musée de la Légion d'Honneur
Musée d'Orsay
Rue de Lille
R. de l'Université
Esplanade des Invalides
20
1
2
3
4
23
C
D

132
BLANCHE M
St-Jean l'Evangéliste
Rue d'Orsel
Place Ch. Dullin
ANVERS M
MM
R. de Clichy
PIGALLE M M
Boulevard de Rochechouart
BARBÈS ROCHECHOUART
R. Gérando
Rue du Delta
Rue Blanche
Rue Fontaine
R. de Douai
Place Pigalle
Rue des Martyrs
Av. Trudaine
Rue Rodier
Rue Turgot
Rue de Dunkerque
1
Rue Chaptal
Rue V. Massé
Rue Pétrelle
Rue de Navarin
R. de la T. d'Auvergne
Rue Condorcet
R. N.-D. de Lorette
Rue Clauzel
M SAINT-GEORGES
R. de La Rochefoucauld
Rue Pigalle
Musée Gustave-Moreau 95
Rue Milton
Rue de Maubeuge
R. P. Sémard
R. de Bellefond
156 Église de la Trinité
R. de
R. Choron
Rue La Fayette
M POISSONNIÈRE
19
M TRINITÉ
Rue St-Lazare
N. D. DE LORETTE M 100
N.-D. de Lorette
Rue Lamartine
CADET M Rue
R. de Châteaudun
Place Kossuth
R. Bleue
R. de la Victoire
Rue Laffitte
R. Cadet
61 Musée du Grand-Orient
Musée Baccarat
Rue d'Hauteville
2
Rue de Provence
M LE PELETIER
R. du Fbg Montmartre
Rue Richer
R. des Ptes Ecuries
CHAUSSÉE D'ANTIN M
Rue
R. Le Peletier
Rue Drouot
St-Eugène 124
Rue du Fbg Poissonnière
Place A. Oudin
Rue Ste-Cécile
Musée Grévin 63
Rue Bergère
Rue d'Enghien
105 Opéra
R. du Helder
RICHELIEU DROUOT M
M Bd
R. de l'Echiquier
Bd des Italiens
RUE MONTMARTRE M
Bd Poissonnière
M OPÉRA
QUATRE SEPTEMBRE M
Rue de Richelieu
Rue d'Uzès
M BONNE NOUVELLE
R. L.-le-Grand
Place de la Bourse
Rue Daunou
R. du Quatre Septembre
BOURSE M
23 Palais de la Bourse
R. des Jeûneurs
Rue du Sentier
Rue de Cléry
Rue St-Augustin
Rue d'Aboukir
Bibliothèque Nationale 18
Rue Vivienne
Rue de la Banque
Rue Montmartre
M SENTIER
Rue Réaumur
3
Av. de l'Opéra
R. des Petits Champs
Rue du Mail
M PYRAMIDES
R. Ste-Anne
Jardin du Palais Royal
161 Place des Victoires
Rue St-Denis
St-Roch 145
R. Molière
109
Rue du Louvre
Rue Etienne Marcel
ÉTIENNE MARCEL M
M
Comédie Française 45
Palais Royal
R. du Col. Driant
Rue Coquillère
St-Eustache 125
Rue de Turbigo
Bd de Sébastopol
PALAIS ROYAL M MUSÉE DU LOUVRE
Bourse du Commerce 24
Place R. Gassin
M LES HALLES 134
St-Leu-St-Gilles
9
Musée des Arts Décoratifs
Rue Saint-Honoré
Forum des Halles 66
28
Arc de Triomphe du Carrousel 83
R. de Rivoli
M LOUVRE
Place M. Quentin
CHÂTELET LES HALLES M
Jardins des Halles
Place G. Pompidou
4
Palais du Louvre
Place du Louvre
126 St-Germain-l'Auxerrois
R. de Rivoli
M
M CHÂTELET
Place I. Stravinsky
Quai du Louvre
M PONT NEUF
M
140 St-Merri
LA SEINE
Pont Neuf
Ecole des Beaux-Arts 16
Théâtre du Châtelet 34
M
Tour St-Jacques 129

A
B
24

STALINGRAD
Rotonde de la Villette
165
Place de Stalingrad
JAURÈS
Av. Secrétan
LOUIS BLANC
Rue La Fayette
137
Canal St-Martin
Quai de Valmy
Quai de Jemmapes
Bd de la Villette
Rue de Meaux
Gare du Nord
58
Place Napoléon III
GARE DU NORD
Rue de Maubeuge
Bd de Denain
Rue du Fbg Saint-Denis
Rue Cail
Rue Ph. de Girard
Ch. Landon
Rue de l'Aqueduc
Rue Louis Blanc
Rue A. Parodi
CHÂTEAU LANDON
R. E. Varlin
Rue d'Alsace
COLONEL FABIEN
Pl. R. Desnos
Pl. du Col Fabien
Gare de l'Est
Rue du Terrage
Pl. R. Follereau
de Chabrol
GARE DE L'EST
M Place du 11 Novembre 1918
Square Villemin
Rue des Recollets
R. Vicq d'Azir
R. J. Dodu
Cl. Vellefaux
Rue J. Moinon
Rue de la Gge aux Belles
Hôpital St-Louis
135
Rue Bichat
Avenue Alibert
Rue St-Maur
Rue de Paradis
Bd de Strasbourg
Bd Magenta
R. des Vinaigriers
CHÂTEAU D'EAU
Rue du Château d'Eau
R. de Lancry
JACQUES BONSERGENT
Rue Beaurepaire
Rue Dieu
138
St-Martin-des-Champs
GONCOURT
R. du Fbg du Temple
Avenue Parmentier
Porte St-Denis
STRASBOURG ST-DENIS
Rue Bouchardon
Rue Taylor
122 Porte St-Martin
Bd St-Martin
RÉPUBLIQUE
Place de la République
R. de la Fontaine au Roi
Rue de la Pierre Levée
Bd J. Ferry
Bd de Sébastopol
Rue Meslay
Rue N.-D. de Nazareth
Rue du Vertbois
TEMPLE
Av. de la République
Cité Lyrique
Musée des Arts et Métiers
10
RÉAUMUR SÉBASTOPOL
R. de Turbigo
149
Ste-Elisabeth
R. Béranger
Bd du Temple
Bd Voltaire
OBERKAMPF
141
St-Nicolas-des-Champs
ARTS ET MÉTIERS
Réaumur
Rue Perrée
Rue du Temple
Rue de Bretagne
Rue Charlot
Rue de Saintonge
Cirque d'Hiver
36
R. Oberkampf
Bd Richard Lenoir
Rue Beaubourg
Rue Chapon
R. de Montmorency
FILLES DU CALVAIRE
Place Pasdeloup
ST-AMBROISE
Centre Georges Pompidou
Rue M. Le Comte
Hôtel Guénégaud
64
R. de Poitou
R. Froissart
R. St-Sébastien
RAMBUTEAU
118
Chapelle Saint-Aignan
40
Archives Nationales
ST-SÉBASTIEN FROISSART
RICHARD LENOIR
155 Hôtel de Soubise
151 Musée Picasso
Rue de Turenne
Rue Pelée
R. des Bl. Manteaux
R. des Archives
101
N.-D. des Bl. Manteaux
Rue Barbette
82
Hôtel Libéral-Bruant
Rue St-Sabin
Cloître des Billettes
19
3
Hôtel d'Amelot
43
Musée Cognacq-Jay
Rue St-Gilles
1
2
3
4
22
C
D
25

Pont d'Iéna
Tour Eiffel 53
Rue de Monttessuy
Av. Rapp
Av. Bosquet
Rue Saint-Dominique
Rue Cler
R. Amélie
R. de la Comète
Bd de La Tour-Maubourg
Rue de Grenelle
Av. G. Eiffel
Parc du Champ-de-Mars 52
Avenue Joseph Bouvard
Avenue Ch. Risler
Av. de la Bourdonnais
Rue du Champ de Mars
R. Duvivier
M LATOUR MAUBOURG
Jardin de l'Intend
Av. de Suffren
R. J. Rey
Rue de la Fédération
Av. de la Motte-Picquet
M ÉCOLE MILITAIRE
Av. de Tourvil
Place Joffre
52 Ecole Militaire
Av. Duquesne
R. Bixio
Rue Desaix
R. Dupleix
Rue Alasseur
Avenue de Lowendal
Place de Fontenoy
R. d'Estrées
Avenue de Ségur
Avenue de Saxe
DUPLEIX M
Rue Viala
Place Dupleix
Bd de Grenelle
Rue Juge
R. Fallempin
R. Tiphaine
R. Letellier
Rue du Commerce
LA MOTTE-PICQUET-GRENELLE M
158 U.N.E.S.C.O.
Av. de Suffren
M SÉGUR
CAMBRONNE M
Place Cambronne
Rue Frémicourt
Rue Pérignon
Rue ÉMILE ZOLA M
Av. E. Zola
Rue du Théâtre
Rue Fondary
Rue de la Croix Nivert
Rue Cambronne
R. Cépré
Rue Miollis
Bd Garibaldi
SÈVRES LECOURB M
Pl. Quei
Rue Violet
Place du Commerce
COMMERCE M
Rue de l'Am. Roussin
Rue F. Bonvin
U.N.E.S.C.O. (Annexe)
Rue Lakanal
Rue des Entrepreneurs
Rue Lecourbe
Rue de Staël
Rue E. Renan
Rue E. Duclaux
Pl. E. Pernet
Rue de l'Abbé
Rue T. Renaudot
Rue Péclet
Rue Blomet
Rue Copreaux
Rue des Volontaires
Rue de Vaugirard
M VOLONTAIRES
Rue Ch. Lecocq
Rue de Javel
Place A. Chérioux
VAUGIRARD M
Rue M. Régnier
Rue F. Tessier
Rue Bargue
Instit Pasi
Rue Groult
Rue Vaugirard
Rue A. Chartier
Rue E. Millon
R. St-Lambert
Rue Blomet
Rue de la Convention
M CONVENTION
Rue Bourseul
Rue d'Alleray
R. Ste Quintinie
Rue des Favorites
Rue La
Rue P. Barruel
Rue de la Procession
Rue Dutot
Rue Dombasle
Place d'Alleray
Place Falguière
Rue Labrouste
Rue E. Gibez
R. Leriche
Rue O. de Serres
R. des Morillons
R. J. Duval
R. de Dantzig
Rue de Cronstadt
Rue de Vouillé
Rue Brancion
R. St-Amand
R. G. Pitard
R. A. Be

21

1 2 3 4
A B

107 Musée d'Orsay
Rue de Lille
SOLFÉRINO M
Rue Saint-Dominique
Esplanade des Invalides
Rue Las Cases
R. de l'Université
Rue de Verneuil
R. de Beaune
Rue de Bourgogne
Rue de Grenelle
chasse
R. St-Simon
RUE DU BAC M
R. du Bac
St-Thomas-d'Aquin
Rue Jacob
Hôtel des Invalides 73
VARENNE M
Invalides
20 Musée Rodin
R. de Belle
Rue de Varenne
Hôtel Mâtignon
Bd St-Germain
Rue du Bac
Boulevard
R. des St-Pères
Rue Barbet de Jouy
Rue Vaneau
Rue Estrées
Rue de Babylone
Place Le Corbusier M
SAINT-SULPICE M
Midi
89
M SÈVRES BABYLONE
SAINT-FRANÇOIS-XAVIER M
Boulevard des
R. Monsieur
Rue Oudinot
Chapelle de la Médaille Miraculeuse
Place A. Deville
Rennes
Rue Cassette
Rue Madame
R. Eble
Rue Rousselet
Rue P. Lerroux
VANEAU M
Sèvres
148 St-Vincent-de-Paul
Rue Cherche
Rue de l'Ab. Grégoire
St-Placide
R. du Regard
RENNES M
26 Couvent des Carmes-Déchaussés
R. Duroc
R. du Gal Bertrand
Place L. P. Fargue M
DUROC M
Rue de
R. Mayet
67 Musée Hébert
Rue Jean Ferrandi
SAINT-PLACIDE M
R. des Fleurus
Raspail
Rue Guynemer
Bd du
Rue de Vaugirard
Rue Littré
Rue de Rennes
Hôpital Necker
FALGUIÈRE M
Rue de
Rue Falguière
Musée Bourdelle 22
R. A. Bourdelle
du
M Place du 18 Juin 1940
MONTPARNASSE-BIENVENÜE
M Tour Montparnasse 93
Montparnasse
Rue du Montparnasse
Place P. Lafue M
N.D. DES CHAMPS
Rue Vavin
R. Bréa
VAVIN M
PASTEUR
R. Dalou
Rue
R. A. Moisant
Musée de la Poste 114
Bd de Vaugirard
M Place R. Dautry
MONTPARNASSE-BIENVENÜE
EDGAR QUINET M
Bd Edgar Quinet
Rue Delambre
Rue Huyghens
Square M. Hymans
58 Gare Montparnasse
Bd Pasteur
Rue du Cdt R. Mouchotte
Rue de la Gaîté
RASPAIL M
Cimetière du Montparnasse
Rue Émile Richard
Rue du Cotentin
R. A. Gide
GAÎTÉ M
Av. du Maine
Pl. de Catalogne
Rue Alain
Pl. de Séoul
Rue de l'Ouest
Rue Losserand
Rue Froidevaux
Bd Raspail
R. Vercingétorix
Rue Pernety
PERNETY M
Rue R.
Rue du Château
Rue Gassendi
Rue Daguerre
R. Liancourt
R. Boulard
M 29

24

C D

Place du Louvre
126
R. de Rivoli
M CHÂTELET
Place I. Stravin
Quai du Louvre
St-Germain-l'Auxerrois
M PONT NEUF
St-Meri
LA SEINE
Pont Neuf
Ecole des Beaux-Arts
16
Théâtre du Châtelet
34
Tour St-Jacques
129
Institut de France
70
Hôtel des Monnaies
92
163 Théâtre de la Ville
Pl. de l'Hôtel de
Rue Jacob
Rue Bonaparte
R. de Seine
R. Mazarine
Rue Dauphine
Quai des Gds Augustins
Palais de Justice
77
Pont au Change
Ste-Chapelle
M CITÉ
Pl. L. Lépine
R. d'Arcole
Musée Delacroix
50
127
M SAINT-GERMAIN DES PRÉS
St-Germain-des-Prés
Rue St-André-des-Arts
Pl. St-Michel
Crypte Archéologique de Notre-Dame
49
M MABILLON
M SAINT-MICHEL
99
Not Da
ODÉON M
Hôtel des Abbés de Fécamp
1
Rue Guisarde
Pl. H. Mondor
Boulevard St-Germain
St-Séverin
146
CLUNY
133
St-Julien-le-Pauvre
M LA SORBONNE
St-Sulpice
147
Pl. St-Sulpice
R. de Tournon
Couvent des Cordeliers
48
42
Thermes de Cluny
MAUBERT MUTUALITÉ
M
Place Maubert
Rue Madame
Rue Férou
Pl. de l'Odéon
R. Racine
St-Jean-de-Beauvais
103
Théâtre de l'Odéon
Sorbonne
154
44
Collège de France
131
142
St-Nicolas du Chardonnet
Rue de Vaugirard
84
Palais du Luxembourg
Rue Valette
Rue Cujas
St-Etienne-du-Mont
CARD. LEMO
Jardin du Luxembourg
LUXEMBOURG
Rue Guynemer
Rue Soufflot
Panthéon
110
123
Lycée Henri IV
41
Tour Clovis
Rue Descartes
R. du Lem
Musée de Minéralogie
90
Bd Saint-Michel
Rue Saint-Jacques
Rue Vavin
Rue A. Comte
Rue P. et M. Curie
R. de l'Estrapade
LUXEMBOURG
Pl. L. Marin
R
Av. de l'Observatoire
Rue Gay-Lussac
Rue d'Ulm
Rue Lhomond
Rue Tournefort
Rue Mouffetard
Pl. Mo
Musée Zadkine
167
Rue J. Bara
Rue Barbusse
Rue Nicole
R. Erasme
Rue Rataud
Rue Vauquelin
Rue Claude Bernard
CENSIER DAUBENTON
Pl. E. Denis
Rue Henri
Rue Pierre
Rue
159
Hôpital du Val-de-Grâce
Saint-Médard
139
Rue Boissonade
PORT ROYAL
Cloître de Port-Royal
113
Bd de Port Royal
Rue des Lyonnais
Rue de Broca
Rue Pascal
Rue Mo
GOBEL
Av. Denfert-Rochereau
Hôpital Cochin
Rue de la Santé
Rue Berthollet
Bd Raspail
102
Observatoire de Paris
R. Méchain
Boulevard Arago
Rue Be du Mets
R. des Cordelières
R. Pascal
DENFERT-ROCHEREAU
M
29 Les Catacombes

1
2
3
4
A
B

23

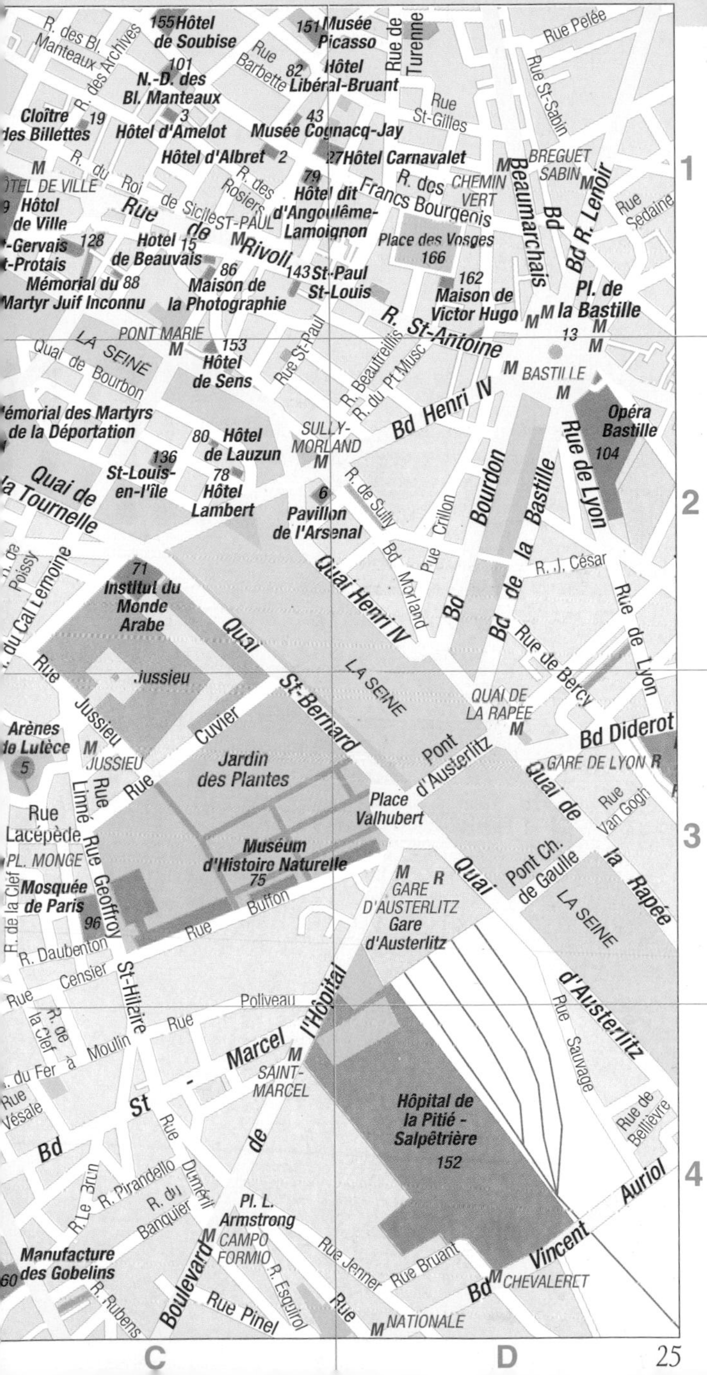

R. des Bl. Manteaux
R. des Archives
155 Hôtel de Soubise
151 Musée Picasso
Rue Barbette
Rue de Turenne
Rue Pelée
Rue St-Sabin
101 N.-D. des Bl. Manteaux
82 Hôtel Libéral-Bruant
Rue St-Gilles
Cloître des Billettes
19
3 Hôtel d'Amelot
43 Musée Cognacq-Jay
Hôtel d'Albret 2
27 Hôtel Carnavalet
M
HÔTEL DE VILLE
R. du Roi de Sicile
R. des Rosiers
79 Hôtel dit d'Angoulême-Lamoignon
R. des Francs Bourgeois
CHEMIN VERT
BREGUET SABIN
Bd Beaumarchais
Bd R. Lenoir
Rue Sedaine
Hôtel de Ville
St-Gervais St-Protais
128
Hotel de Beauvais 15
Rue de Rivoli
ST-PAUL
Place des Vosges 166
Mémorial du Martyr Juif Inconnu 88
86 Maison de la Photographie
143 St-Paul St-Louis
162 Maison de Victor Hugo
Pl. de la Bastille
R. St-Antoine
13
PONT MARIE
LA SEINE
Quai de Bourbon
153 Hôtel de Sens
Rue St-Paul
R. Beautreillis
R. du Pt Musc
BASTILLE
Bd Henri IV
Mémorial des Martyrs de la Déportation
80 Hôtel de Lauzun
SULLY-MORLAND
Opéra Bastille 104
136 St-Louis-en-l'île
78 Hôtel Lambert
6 Pavillon de l'Arsenal
R. de Sully
Rue Crillon
Bd Bourdon
Bd de la Bastille
Rue de Lyon
Quai de la Tournelle
R. de Poissy
R. du Cal Lemoine
71 Institut du Monde Arabe
Quai Henri IV
Bd Morland
R. J. César
Rue de Lyon
Rue de Bercy
Quai St-Bernard
Jussieu
LA SEINE
QUAI DE LA RAPÉE
Rue Jussieu
Arènes de Lutèce 5
JUSSIEU
Rue Cuvier
Jardin des Plantes
Pont d'Austerlitz
Bd Diderot
GARE DE LYON
Rue Linné
Place Valhubert
Quai de la Rapée
Rue Van Gogh
Rue Lacépède
PL. MONGE
Muséum d'Histoire Naturelle 75
Pont Ch. de Gaulle
Mosquée de Paris 96
R. de la Clef
Rue Geoffroy St-Hilaire
Rue Buffon
GARE D'AUSTERLITZ
Gare d'Austerlitz
LA SEINE
R. Daubenton
Rue Censier
Rue Poliveau
Bd de l'Hôpital
Quai d'Austerlitz
R. de la Clef
Rue du Fer à Moulin
Bd St-Marcel
SAINT-MARCEL
Rue Sauvage
Rue Vésale
Hôpital de la Pitié - Salpêtrière 152
Rue de Bellièvre
Rue Duméril
R. Le Brun
R. Pirandello
R. du Banquier
Pl. L. Armstrong
CAMPO FORMIO
Bd Vincent Auriol
Manufacture des Gobelins 60
R. Rubens
Boulevard
R. Esquirol
Rue Pinel
Rue Jenner
Rue Bruant
CHEVALERET
NATIONALE

1
2
3
4
C
D

E

H

PARIS from A to Z

Subject index

This index has been designed to help you find out more about particular subjects (music, gardens, restaurants and so on) and discover others which are less obvious. But it will also enable you to discover certain sights which are not specifically mentioned in the 'Index of streets and monuments' on pages 26 to 45. Here, for instance, you will find the Musée de l'**H**omme and the Musée de la **M**arine under H and M respectively, and not under Chaillot (Palais de) as in the other index; the **C**onciergerie and the **S**ainte-Chapelle under C and S, and not under Justice (Palais de).

The **bold** numbers refer to the *item numbers* in the 'Paris from A to Z' section of monuments, museums, churches etc.which are listed alphabetically; the non-bold numbers are page numbers.

THE HISTORY OF PARIS

From the Pont Alexandre-III and its rich statuary there is a magnificent view of Paris as far as the Sacré-Cœur.

The 19th and 20th c. play hide-and-seek: the clock of the Gare de Lyon.

A sought-after site

Already in prehistory people had recognised the advantages of this basin created by the Seine. Because of the river and its tributaries, and the early land routes, the site with its islands proved to be an excellent location. It is situated on the crossroads between the north and the south, with the added benefit of a natural link to the sea. However, these advantages were also a great disadvantage: the excellent communications meant that Paris was an easy prey for invaders and its inhabitants suffered repeatedly as a result.

As many as 700,000 years ago the plateau of the Paris basin was already inhabited by the nomadic hunters and gatherers of the Paleolithic period. In about 5000 BC the farmers of the Neolithic age became settled.

The first settlement on the site which is now Paris dates back to between 4200 and 3500 BC. This is demonstrated by the three canoes made of oak and the many tools which were discovered during excavations made in the redevelopment of Bercy in 1991.

Over 30 bridges and footbridges cross the Seine, linking the right bank to the left.

The Jardin des Plantes is on the site of the former Jardin royal des herbes médicinales, created in the 17th c.

Repeatedly invaded

In the 3rd c. BC, the Gauls, which is to say the Celts, of the tribe of the Parisii settled in the region which was soon to be named after them. Although there is no firm evidence, it appears that their main fort, or *oppidum*, was on the Île de la Cité. It was from this site that Lutèce or Lutetia, the Gallo-Roman town, developed along the slopes of the Montagne Sainte-Genevieve, on the left bank of the river, after the conquest of Gaul between 58 and 52 BC .

There are many remains of this period in the city, including the Romans baths of Cluny and the arenas. During the invasions of 4th and 5th c. the Cité was an effective refuge: led by Saint Genevieve, the town's future patron saint, the population even succeeded in fighting off Attila and his Huns.

In the 5th c. Paris – as it was now called – came under the rule of the Francs. It was chosen as the capital of France for the first time in its history during the reign of Clovis (481-511). The king and his successors built a large number of churches. However, 200 years later Paris lost its privileged role and title. Having become just an ordinary town once more it was repeatedly attacked by the Normans in the 9th c.

The capital of the kingdom

In 987 the town was part of the small royal domaine of Hugues Capet, Comte de Paris and Duc des Francs, the newly elected sovereign and founder of the Capetian dynasty. But Paris only really recovered its former status of capital of the kingdom at the beginning of the 12th c.

While the king and his

Built in the 12th and 13th c. on the Île de la Cité, the cathedral of Notre-Dame is masterpiece of early Gothic architecture.

administration were established in the Cité, trade settled on the right bank. Ships would load and unload along the bank and markets were set up there, such as Les Halles, founded in 1137. The left bank attracted educational establishments like the university. In the middle of the 13th c. Paris set up a municipal corporation which had developed from the Corporation des marchands de l'eau (corporation of river merchants), to whom it owes its coat of arms (a shield depicting a boat whose mast is decorated with the oriflamme and fleurs de lys). The many religious buildings such as the cathedral of Notre-Dame and the Sainte-Chapelle, and secular constructions such as the Palais de la Cité and the Hôtel de Cluny, clearly reflect the power of the medieval town which was pushing its defensive walls further and further out. The centre of royal power, a great commercial city and the seat of a university famous all over Europe, Paris was thriving. And in spite of the uncertainties of history, Paris has retained its triple vocations: political, economical and intellectual.

After the Hundred Years War (1337–1453) the capital, which had been the scene of bloody battles, was abandoned by the kings who settled on the banks of the Loire. However, even at that time it already boasted 200,000 inhabitants which made it the most populous city in Europe after Istanbul. In 1528, Francois I returned to Paris where he set up residence again. At the Louvre he introduced the style of the Renaissance , which was was subsequently also adopted for the rich *hôtels particuliers* whose ground plan became established at the time. They usually consisted of a *corps de logis,* overlooking a courtyard and gardens, with two projecting wings flanking the courtyard, in the shape of a U. The outbuildings and kitchens bordered the street, closing the U.

At the end of the Wars of Religion, Henri IV finally succeeded in entering Paris after a several sieges. He gave the capital a fresh impetus, buiding elegant *places* (squares) and promenades. His work was continued by his wife, the regent Marie de Médicis

(1610–24), and the ministers of Louis XIII and Anne d'Autriche, Richelieu (1624–42) and Mazarin (1643–60). In the second half of the 17th c. Louis XIV decided to take up residence in Versailles so as to put a certain distance between himself and the inhabitants of Paris who were always ready to rebel, and to keep his aristocracy under control. Nonetheless he erected some splendid buildings in the capital such as the collège des Quatre Nations (the present Institut de France) and the hôtel des Invalides. In 1671, the king decided that Paris should be an open city and razed its old town gates and walls to the ground. This is when Paris lost its appearance of a medieval town. In the 18th c. the city was further embellished with projects such as the building of the Place Louis-XV, the present Place de la Concorde.

A modern city

After having been at the centre of the 1789 revolution – in which the town and its people played a capital role, no pun intended – Paris was at peace again during the First Empire (1804 to 1814/1815). During this period mportant building works were started including the opening of the Rue de Rivoli and the laying-out of the famous perspective of the Champs-Élysées.

The constructional works which started under Napoleon continued during the Restoration and the July Monarchy (1815–48). Pavements were built in the streets, the first gas lamps were installed, the first railways were built and the Bourse (stock exchange) was completed, bearing witness to the city's economic success.

But the really large-scale building works were still to come. They taook place during the Second Empire (1852–70) under the direction of Baron Haussmann, préfet of the Seine. Large avenues and boulevards were built to replace the narrow streets lined with old houses. Elegant parks, gardens and the Bois de Boulogne and Bois de Vincennes were laid out. Railway stations, new centrally located *halles* (markets), *mairies* (town halls), *lycées*, hospitals and so on

View looking down on the Forum des Halles, in the heart of one of the oldest quarters of Paris.

further completed this gigantic urban project.

It was also at this time that the city was divided into 20 *arrondissements*. During the Third Republic (1870-1940) Paris organised several Universal Expositions for which some of its most striking buildings were erected like the Eiffel Tower (1889), the Grand Palais and the Petit Palais (1900), and the Palais de Chaillot (1937). The Métro which together with the RER network is the fastest, most economical means of transport in the capital was inaugurated in 1900.

The construction of the Centre Georges-Pompidou and the refurbishment of the Musée d'Orsay in the former Gare d'Orsay were but the first of several major building projects, such as the pyramid of the Louvre, the Opera of the Bastille, the Grande Arche of La Défense, the Bibliothèque de France and the complete redevelopment of the east of Paris.

A strong administration

The city within the former walls covers some 10,540 ha (105 square km^2 or 40.5 sqaure miles). It has over 2 million inhabitants (but including the suburbs the population is five times that). Since 1964, Paris has been a *département* in its own right. Its division into 20 *arrondissements*, a re-grouping of 80 *quartiers*, dates back to 1860.

Since 1982 each *arrondissement* has been governed by a mayor and various elected assemblies. The mayor of the capital, elected by the council of Paris and endowed with great power, shares with the prefet de Paris, who is appointed by the government, the administrative management of the city. The préfet de police is in charge of the police force and is directly responsible to the State.

Logical numbering

Once you know the system of the numbering of the buildings, which was adopted in 1805, it is easy to find your way in the capital. The even numbers are always on the right side of the street, and the uneven numbers on the left. The

The basins and fountains of the gardens of the Trocadéro offer some welcome relief during the hot summer says.

side is determined by its relation to the Seine. For roads parallel to the river, the right side is to the right of a person walking in the same direction as the current of the river. For streets which are at an angle or perpendicular to the river, the right side is to the right of a person walking towards the river. In the latter, numbering starts at the end nearest to the Seine. In the streets parallel to the river, the numbering follows the current of the river, in other words, the numbers increase as you walk downstream.

The perspective from La Défense towards the Arc de Triomphe is one of the most beautiful in the world.

1 *Abbés de Fécamp* (Hôtel des)

24 **A2**

- *5, rue Hautefeuille (VIe)*
- *Métro Odéon or Saint-Michel* • *RER Saint-Michel*
- *Ext*

How many prying eyes may have watched royal processions passing by in the street below from the elegant Renaissance turret of this building? It is part of the 16th c. *hôtel particulier* which itself replaced the house built by the abbots of Fécamp in 1292. The present building may have belonged to Diane de Poitiers, future mistress of Henry II (1547–59). It also provided a haven in the 17th c. for the notorious poisoner Marie-Madeleine d'Aubray, Marquise de Brinvilliers, and her lovers.

2 *Albret* (Hôtel d')

25 **C1**

- *9 bis and 31, rue des Francs-Bourgeois (IVe.*
- *Métro Saint-Paul or Rambuteau* • *RER Châtelet*
- *Ext*

This luxurious *hôtel* was commissioned in the 16th c. by the Constable de Montmorency. Nothing is left of the previous medieval buildings, which were poor houses. Their occupants were exempt from paying taxes and were therefore known as *francs bourgeois*, which gave the street its name. The house consists of an 18th-c. building directly on the street, a *corps de logis* erected in the 16th c. between the courtyard and the garden, and wings which date from the 16th and 17th c. Everything had become very dilapidated but it was all restored in 1983 and forms a beautiful architectural complex which now houses the Affaires culturelles de la Ville de Paris.

3 *Amelot de Bisseuil*

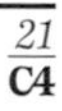

21 **C4**

(Hôtel, known as Hôtel des Ambassadeurs de Hollande)

- *47, rue Vieille-du-Temple (IIIe)* • *Métro Hôtel-de-Ville*
- *RER Châtelet* • *Ext*

Why this curious name? Perhaps because an ambassador from Holland once stayed here? This *hôtel* was built by Amelot de Bisseuil in the 17th c. and is one of the finest in the Marais. It has a magnificent doorway and the various parts of the building are arranged around two courtyards. Beaumarchais wrote his play *Le Mariage de Figaro* (1778) here. It was also the headquarters of his arms dealing business with the Americans whom he supported in their fight for independence.

1 ***Hôtel des abbés de Fécamp.*** *Turret.*
2 ***Hôtel d'Albret.*** *Door knocker.*
3 *Facade (detail).*
4 ***Hôtel Amelot de Bisseuil.*** *Door.*
5 *Detail from the door.*

2

3

5

4 Arc de Triomphe

18
A2

• Pl. Charles-de-Gaulle (VIIIe, XVIe and XVIIe) • Métro and RER Charles-de-Gaulle-Étoile • Ext • Int: Tue-Sat 10.00–22.30; Sun-Mon 10.00–18.00 • Tel. 01 43 80 31 31

The majestic Arc de Triomphe stands at the centre of the very busy Place de l'Étoile, aligned with the the Place de la Concorde and the Tuileries Gardens in one direction and La Défense in the other.

History In 1806 Napoleon decided to commemorate the victories of the Republic and the Empire by restoring triumphal arches to the role they had enjoyed at the time of the Romans: that of glorifying the army and its leaders. He therefore planned a colossal triumphal arch near the barrier of the Étoile which was still in the countryside at the time.

From the various projects submitted to him, Napoleon chose the design of the architect Jean Chalgrin. Work on the arch stopped for many years after the emperor's demise and it was only completed during the reign of Louis-Philippe.

Exterior The arch is 49.54 m (162 feet) high and 44.82 m (147 feet) wide. The bas reliefs are the work of several artists and they illustrate war scenes from the Revolution and the Empire. The most beautiful is a masterpiece by François Rude which appears on the side facing the Champs-Élysées. It represents the *Départ des volontaires of 1792* (Departure of the Volunteers in 1792), also called *La Marseillaise*, and it conveys a strong impression of movement. Its counterpart, the *Triomphe de 1810* (the Triumph of 1810) by Jean-Pierre Cortot, appears relatively static by comparison. The monument is carved with the names of over 100 victories and 660 senior officers who fought in wars of the period.

Museum At the top of the arch there is a small museum,with various documents relating to the history of the Arc de Triomphe.

Panorama From the upper terrace there is fantastic view of Paris and the Place de l'Étoile, redesigned by Napoleon III who added eight more avenues to the four existing ones.

Tomb of the Unknown Soldier Since 1920 the central arch of the Arc de Triomphe has protected the tomb of an unknown soldier who died during the First World War. The flame of remembrance flame burns on the tomb.

1 ***Arc de triomphe de l'Étoile.***
2 *The* Triumph of 1810.
3 *The* Departure of the Volunteers.
4 *The Champs-Élysées and the Arc de Triomphe.*

1

3

4

5 Arènes de Lutèce

25 **C3**

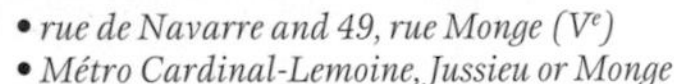

- *rue de Navarre and 49, rue Monge (Ve)*
- *Métro Cardinal-Lemoine, Jussieu or Monge*
- *Spectacles held here in summer*

Discovered in 1869, the ruins of the theatre-amphitheatre (end of the 1st c. AD) where gladiators used to fight have been heavily restored. The tiers could accommodate up to 10, 000 spectators and they surround the oval arena apart from a section for a stage on one side.

6 Arsenal (L')

25 **C2**

- *1, rue de Sully (IVe)* • *Métro Sully-Morland*
- *Library: By appointment at least six months in advance*
- *Tel. 01 53 01 25 25*

The library of the Arsenal contains one and a half million printed books, 15,000 manuscripts and important collections devoted to the theatre. This fine collection is housed in the old residence of the grand masters of the *Artillerie* (erected in the 17th c. after the arsenal itself exploded in 1563; rebuilt in the 19th c.).

7 Art moderne de la Ville de Paris

18 **A4**

(Musée d') • *11, av. du Président-Wilson (XVIe)* • *Métro : Iéna or Alma-Marceau* • *RER Pont-de-l'Alma* • *Daily except Mon; Tue-Fri 10.00–17.30; Sat–Sun 10.00–18.45* • *Tel. 01 53 67 40 00*

The Palais de Tokyo, built for the Exposition universelle of 1937 and intended to house collections of contemporary art, has remained faithful to its original vocation. It now houses the Musée d'Art moderne de la Ville de Paris which includes many 20th c. artists such as Derain, Braque, Vlaminck and Picasso.

8 Arts africains et océaniens

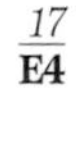

17 **E4**

(Musée national des) • *293, av. Daumesnil (XIIe)* • *Métro Porte-Dorée* • *Daily except Tue; Mon-Fri and public hols 10.00–12.00, 13.00–17.30; Sat–Sun 12.30–18.00* • *Tel. 01 43 46 51 61*

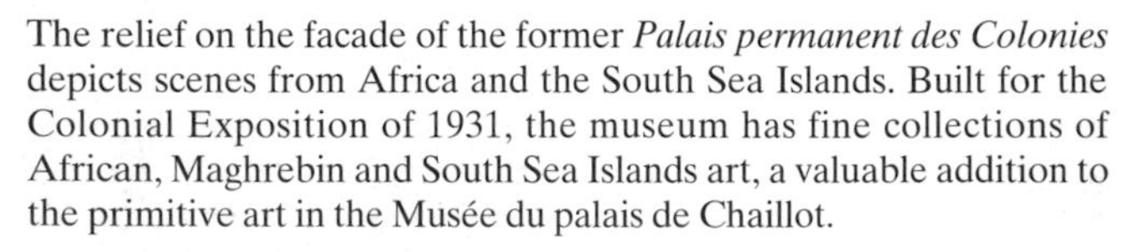

The relief on the facade of the former *Palais permanent des Colonies* depicts scenes from Africa and the South Sea Islands. Built for the Colonial Exposition of 1931, the museum has fine collections of African, Maghrebin and South Sea Islands art, a valuable addition to the primitive art in the Musée du palais de Chaillot.

1 ***Arènes de Lutèce.***
2 ***Arsenal.*** *Detail of the facade.*
3 ***Musée d'Art moderne de la Ville de Paris.*** *Facade.*
4 ***Musée national des Arts africains et océaniens.*** *Facade.*
5 *One of the rooms in the Oceania section.*

9 Arts décoratifs (Musée des)

20 **A4**

• 107, rue de Rivoli (Ier) • Métro Tuileries or Palais-Royal-Musée du Louvre. • Daily except Mon; Tue-Fri 11.00–18.00, (Wed 22.00); Sat–Sun 10.00–18.00 • Tel. 01 44 55 57 50

The Musée des Arts décoratifs, situated in a wing of the Louvre, has a superb collection of furniture, china, tapestries, gold and silver, paintings and sculptures which trace the history of interior decoration in France from the Middle Ages to the 20th c.

10 Arts et métiers

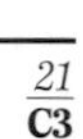

21 **C3**

(Conservatoire des, Musée national des Techniques)

• 270-292, rue Saint-Martin (IIIe)
• Closed for renovation until 1998

The École du Conservatoire des arts et métiers and the Musée des Techniques (open to the public since 1802) have been housed in the buildings of the former priory of Saint-Martin since 1798. The various collections tell the story of transport, instruments for measuring time, automata, methods of communication, energy, chemistry and physics.

11 Baccarat (Musée)

20 **B2**

• 30 bis rue de Paradis (X^e) • Métro Poissonnière or Château-d'eau
• Mon-Fri 9.00–18.30, Sat 10.00–12.00, 14.00–17.00
• Tel. 01 47 70 64 30

The sparkle of vases, perfume bottles and ewers displayed in this fairy-tale setting is enhanced by the glittering of candelabras and chandeliers. Situated in a street which is devoted to the art of the table, it is next to the shop of the House of Baccarat founded in 1764.

12 Balzac (Maison de)

13 **D1**

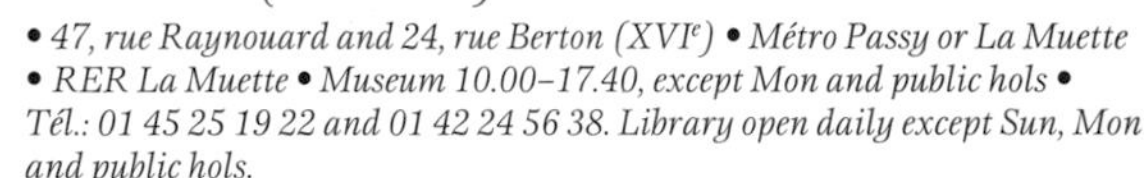

• 47, rue Raynouard and 24, rue Berton (XVIe) • Métro Passy or La Muette • RER La Muette • Museum 10.00–17.40, except Mon and public hols • Tél.: 01 45 25 19 22 and 01 42 24 56 38. Library open daily except Sun, Mon and public hols.

A small door opening into the rue Berton… Honoré de Balzac lived here between 1840 and 1847 to escape from his creditors. The building now houses a library and a museum devoted to Balzac. It was in the study here that he wrote part of *La Comédie Humaine*.

1 ***Musée des Arts décoratifs.*** *Tournai tapestry.*
2 ***Conservatoire des arts et métiers.*** *Library.*
3 ***Musée Baccarat.*** *Glasses and ewers.*
4 ***Maison de Balzac*** *(Balzac's house).*
5 *Bust of Balzac.*

13

Bastille *(Place de la)*

15
F1

- *IVe, XIe, XIIe*
- *Métro Bastille*
- *Ext*

Watched by the people of Paris, 800 eager workmen led by a building contractor, Palloy, demolished the sinister Bastille fortress prison shortly after it had been captured on 14 July 1789. In 1792 the members of the Assembly planned to erect a column on this newly cleared space, crowned with a statue of Liberty. Napoleon I (1804–15) planned a fountain in the shape of an elephant as an imperial symbol. But nothing was done until Louis-Philippe who erected the bronze column commemorating the revolution of July 1830. The monument, built 1833–40 and crowned by the Génie de la Liberté, is 51. 50 m (169 feet) high. The shaft of the column lists the name of the 504 victims of 1830. They are buried in a crypt under the column, together with those who died in the 1848 revolution.

14

Beauharnais *(Hôtel de)*

19
C4

- *78, rue de Lille (VIIe)*
- *Métro Assemblée Nationale*
- *Ext*

A sober facade dating from the 18th c. with an Egyptian style portico: this curious combination is the work of Eugène de Beauharnais, the son of Joséphine and Napoleon's son-in-law who acquired it in 1803. The young man was following a fashion which had become very popular since the return of the French expedition to Egypt (1798-1801). Bought by Prussia in 1818, the building became the property of Germany. Today it is the residence of the German ambassador.

15

Beauvais *(Hôtel de)*

25
C1

- *68, rue François-Miron (IVe).*
- *Métro Saint-Paul*
- *Ext*

On 26 August 1660 Louis XIV and his young bride, Marie-Thérèse of Austria, made their solemn entry into Paris. Anne of Austria, the king's mother, was following the procession from the balcony of this *hôtel*, just completed for the first woman of the bedchamber and her husband, Pierre de Beauvais. The facades have since been altered.

---

1 ***Place de la Bastille.*** *Overall view.*
2 *Colonne de Juillet, seen from the port of the Arsenal.*
3 ***Hôtel de Beauharnais.*** *Facade.*
4 ***Hôtel de Beauvais.*** *The inner courtyard in the course of restoration.*
5 *Mozart: commémorative plaque.*

1

2

3

4

5

16 Beaux-Arts (École des)

20
A4

• 17, quai Malaquais and 14, rue Bonaparte (VIe)
• Métro Saint-Germain-des-Prés • Tel. 01 47 03 52 15
• Library • Tel. 01 47 03 50 00

The convent of the Petits-Augustins (17th c.), confiscated during the Revolution, was first used to house the Musée des Monuments français as well as the sculptures and architectural ornaments removed from their site to protect them from defacement by the revolutionaries. The museum was closed in 1816 and replaced by the École des Beaux-Arts. The building also absorbed the convent chapel and it has been repeatedly enlarged since then. The architect Debret built the building of the Loges where pupils prepared for competitions. Duba, Debret's successor, built the Palais des Études which is of Italian Renaissance inspiration with mouldings and copies of ancient statues. He also supervised the building on the Quai Malaquais designed to house works submitted for the competitions. Original architectural ornaments from such buildings as the Château d'Anet (16th c.) and the Hôtel Le Gendre (15th-16th c.) appear on the facade.

17 Bibliothèque de France

16
B4

• 11, quai François-Mauriac (XIIIe) • Métro Quai-de-la-Gare
• Library roof garden (open to bacheliers (A-level students) and over-18)
• Daily except Mon 10.00–19.00; Sun 12.00–18.00 • Tel. 01 53 79 53 79

Four glass towers in the shape of open books stand at the four corners of a vast plinth whose hollowed centre contains a green space. This design was submitted by Perrault and selected in 1989 by an international jury asked to choose an architect for the new Bibliothèque de France.

Interior The construction of the buildings designed to house the collections of the Bibliothèque nationale (national library) was started in 1992 and completed three years later. The towers, 80 m (262 feet) high, are for offices and bookshops. There are two floors with lecture halls surrounding the garden, which is planted with mature trees standing over 20 m (66 feet) high.

The upper garden level houses the general library, with 1,560 seats while the ground garden level is intended for the research library whichhas about 2,000 seats. Research is made easier by the availability of new technology, such as complete computerisation of the catalogue and numbering of the collections.

1 ***École des Beaux-Arts.*** *Cour du Mûrier.*
2 *A statue in the Cour du Mûrier.*
3 ***Bibliothèque de France.***

18 Bibliothèque Nationale

20 A3

• 58, rue de Richelieu (IIᵉ). • Métro Bourse, Richelieu-Drouot or Palais-Royal • Tel. 01 47 03 81 26 • Musée des Monnaies, Médailles et Antiques: 13.00–17.00, Sun 12.00–18.00 • Library: Tel. 01 44 61 21 69

The Bibliothèque nationale has over 12 million printed works, 250,000 manuscripts and the largest collection of geographical maps in the world: collections which are constantly added to as a result of the decree of 1537 which entitles it to a copy of each book subsequently printed in France, and acquisitions from elsewhere. Housed in various *hôtels* of the Rue Richelieu and neighbouring streets since the 17th c., it was rebuilt by Labruste in the second half of the 19th c. The library is moving to Quai François-Mauriac because of lack of space. The Musée des Monnaies, Médailles et Antiquités which inherited the royal collections, has some remarkable pieces including the precious treasure trove of Roman silver from Berthouville, the Sainte-Chapelle cameo and the cup of Khrosrô.

19 Billettes (Cloître des)

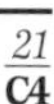

21 C4

• 22, rue des Archives (IVᵉ) • Métro Hôtel-de-Ville
• Open for temporary exhibitions
• Tel. 01 42 72 38 79

In 1924, a heretic desecrated a host by stabbing it and throwing it in boiling water; five years later, a chapel was built in atonement on the site of the sacrilege. Nearby, the Couvent des frères dits des Billettes (Convent of friars known as the Billettes) had been built in 1299. In the 15th c. the friars rebuilt their church and cloister, the only one to survive. Completed in 1427, it is the oldest in Paris.

20 Biron (Hôtel, and Musée Rodin)

23 C1

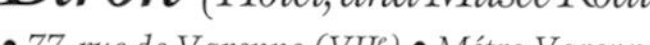

• 77, rue de Varenne (VIIᵉ) • Métro Varenne
• Museum and garden: daily except Mon; 1 Apr–30 Sept: 9.00–17.45; 1 Oct–31 Mar: 9.30–16.45 • Tel. 01 47 05 01 34.

The profession of wigmaker can make a man rich! This happened to Peyrenc de Moras: having made his fortune, he built this jewel of 18th-c. architecture, set in an enormous garden. The *hôtel* was subsequently bought by the Duc de Biron.

In 1908 Rodin was one of the tenants of the house which had been divided into flats. Bought by the State, it became the Musée Rodin which has many fine examples of his work, including *The Kiss*.

1 ***Bibliothèque nationale.*** *The ceiling of the reading room.*
2 *Syrian lamp from the Cabinet des Médailles.*
3 ***Cloître des Billettes.***
4 ***Hôtel Biron (Musée Rodin).*** *The garden and the* hôtel.
5 Pierre de Wissant *(Musée Rodin).*

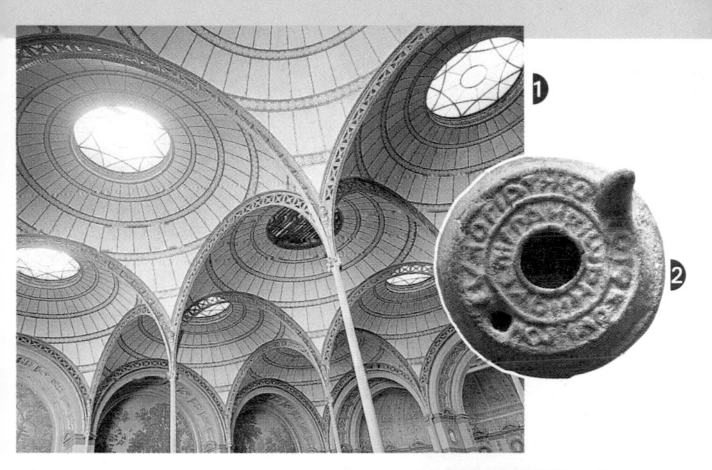

21

Boulogne (Bois de)

6
B5

- *(XVIe)*
- *Métro Porte-d'Auteuil, Porte-Dauphine, Sablons or Porte-Maillot*
- *Gardens and museums: entrance charge*

The Bois de Boulogne, situated on the outskirts of Paris, stretches over some 840 ha (over 2,000 acres) of woodland, dotted with parks, lakes, streams crossed by small bridges, cascades, paths, lanes and roads. The range of activities offered by the Bois de Boulogne is vast: walking, boating, horse riding, jogging, fishing, horse racing, playgrounds for children, cafés and restaurants. There is something for everyone. Paris owes this beautiful park to Napoleon III who redesigned the royal forest where kings used to hunt bears, deer, wolves and wild boar. In 1852, the emperor gave the forest to the citizens of Paris on condition that they redesigned it, modelling it on Hyde Park. The work was carried out by the town planner Alphand, the horticulturist Barillet-Deschamps and the architect Davioud.

Bagatelle In 1777 the Comte d'Artois made a bet with Queen Marie-Antoinettte that he could build a château in less than three months. The result was this little château which took just 64 days. The building replaced the pavilion of the Maréchale d'Estrées, erected in 1720 and called a 'bagatelle' in spite of its high cost. The park is famous for its rose garden and orangery.

Pré Catelan This park boasts a beech tree 200 years old which has the widest spread of branches in in Paris. There is also a Shakespeare garden, planted in 1952 with species of all the plants and trees mentioned in the great playwright's works.

Hippodrome de Longchamp This race course was opened in 1857 and is devoted to flat racing. It preceded the Auteuil hippodrome which was created in 1873 for steeplechases.

Jardin d'Acclimatation Founded in 1860, this is a delight for children and their parents with its little train, enchanted river, roundabouts and animals. The Musée en herbe (museum for the young) organises exhibitions and activities for the young.

Musée des Arts et Traditions populaires This museum of popular art and traditions guides the visitor through the various regions of France.

1 ***Bois de Boulogne.*** *Château de Bagatelle.*
2 *Orangery in the rose garden of the Bagatelle.*
3 *Roses at the Bagatellle.*
4 *Windmill at Longchamp.*
5 *Landing stage of the Lac Inférieur.*

CERTIFICAT
cat: ARBUSTIFS &
COUVRE-SOL

STREET FURNITURE, CLOCKS AND THE METRO...

Of all the great cities in the world, Paris is undoubtedly the one which pays most attention to the appearance of its functional street equipment, or street furniture. In the streets, squares and Metro stations, the benches, signs, kiosks and so on are pleasing to the eye as well as being easy to repair when necessary. But many Parisians feel that the latest versions of these artefacts do not have the distinction of their predecessors. Modernism always has its critics!

Street furniture

Some newspaper kiosks are inspired by the street furniture designed in the 19th c.

In the Second Empire (1852-70), when the city was provided with pavements, grand avenues and beautiful gardens, engineers and architects such as Gabriel Davioud were commissioned to design street furniture which would fit in with the new cityscape. Newspaper kiosks, chairs and benches in wood and cast iron decorated with the coat of arms of Paris, public conveniences for ladies and urinals for men, street lamps and lamp posts lit by gas spread throughout the capital. In 1867 Gabriel Morris, a specialist in theatre posters, invented the *Colonne Morris*, the famous column named after him on which posters announcing events are pasted. Some years later a British patron, Sir Richard Wallace, offered the city the no less famous drinking fountains in cast iron decorated with caryatids, which are of course known as *wallace*. Today 66 of them still survive. Since 1970, street furniture has been

The capital has about 10,000 public benches for exhausted walkers and wanderers.

Almost all the old urinals have disappeared (this one is in the boulevard Arago).

enriched by new kinds of equipment: bus shelters, indicator panels, public telephones, and paying public lavatories which have replaced the ancient urinals.

The many yellow letter boxes have been part of the urban scene for so long they are now completely integrated with it.

'Wallace' fountain. A heavy burden for the caryatids.

Street signs: a recent concern

For some years now drivers and pedestrians have found it much easier to find their way in the maze of the capital's streets. The enamel plaques indicating street names have been joined by many signs giving general directions and more detailed ones for administrative buildings, post offices, monuments and museums. Places of interest have signs in which passers by can read a short descriptive history.

Enamel street names and public street lighting.

La Poste's letter boxes are an attention-grabbing yellow.

'Morris' columns are always advertising tempting events.

Metro stations

The Paris Metro began in 1901 with the line from Porte-de-Vincennes to Porte-Maillot. Today it has 13 lines, mostly underground but with some elevated sections, and here and there pieces of its original decor survive. The covered entrances in the Art Nouveau style, designed by the architect and designer Hector Guimard, are still to be found at the Abbesses and Port Dauphine stations. Guimard entrances without roofs have survived in greater numbers – there are still 90 of them. Inside the stations, the walls tiled in white faïence, with contrasting panels for advertising posters, have in some places given

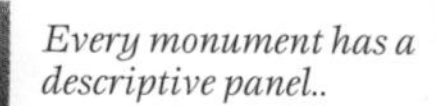

way to very original displays, inspired by the building near the particular station. The Louvre station was redesigned in this way in 1967, and is decorated with casts and photographs of works in the museum. The Hôtel-de-Ville station tells the history of the building with a whole series of illustrated panels. At Arts-et-Métiers passengers can while away the time waiting for a train by admiring the decoration which was inspired by the *Nautilus*, the vessel imagined by Jules Verne for his book *20,000 Leagues under the Sea*. At Concorde they can read extracts from the *Déclaration des droits de l'Homme* (Declaration of the Rights of Man) on ceramic tiles.

Every monument has a descriptive panel..

Clocks by the thousand

For a long time Parisians controlled their lives only by the rhythm of church bells, and then by a very small number of clocks such as that which was installed in 1370 in a tower of the Conciergerie (in the Tour de l'Horloge or clock tower), which is now the oldest clock in Paris – but it is no longer working. Today there are about 10,000 public clocks in the capital. The first electric clocks came into service in

The covered entrance of the Porte-Dauphine Metro station

Arts-et-Métiers: decoration inspired by the imagination of Jules Verne.

1876, notably at the Gare Saint-Lazare. Among the most typical or the most surprising are those at the Gare de Lyon, the Gare d'Orsay, the belfry of the neo-Gothic town hall of the Iᵉ arrondissement, or again the Défenseur du temps (Defender of Time), an electronic clock with automata made by Jacques Monestier in 1979.

In the Rue Bernard-de-Clairvaux (IIIᵉ), which every hour presents the battle of a man armed with a sword against an animal symbolising one of the elements: a dragon for earth, a bird for air and a crab for water. At noon, 6 pm and 10 pm the warrior tackles the three monsters together, encouraged by a crowds of young supporters. The modern Horloge quarter is so-called after it.

Paris is a well sign-posted city.

Le musée d'Orsay has preserved the former station clock.

Thousands of public clocks…

The Defender of Time and its automata.

22 **Bourdelle** (Musée)

23
C3

• 16, rue Antoine-Bourdelle (XVᵉ) • Métro Montparnasse-Bienvenüe or Falguière • Daily except Mon and public hols, 10.00–17.40 • Tel. 01 49 54 73 73

Antoine Bourdelle was a sculpture and painter who was also assistant to Rodin. Much inspired by ancient and medieval sculpture, he was a prolific artist as the 900 sculptures stored in his studio reveal. The latter was turned into a museum by the city of Paris. Only the most famous works are on permanent display, including the panels for the Champs Élysées theatre, *L'Héraclès archer*, portraits of Beethoven and the *Monument d'Alvear*.

23 **Bourse** (Palais de la)

20
B3

• 4, pl. de la Bourse (IIᵉ) • Métro Bourse
• Guided tour Mon-Fri 13.15–15.45
• Tel. 01 40 41 62 20

The legendary enclosure in which traders gathered to shout their orders has given place to the computerisation of financial markets. But the hustle and bustle is still there. Founded in 1808 by Napoleon I and designed by Alexandre Brongniart who looked to ancient monuments for inspiration, the Temple de l'Argent was completed in 1826. Two wings were added at the beginning of the 20th c. The vast Salle de la Corbeille is crowned by a glass dome and decorated with grisaille (monochrome) paintings.

24 **Bourse de commerce**

20
A4

• 2, rue de Viarmes (Iᵉʳ) • Métro Louvre or Les Halles
• RER Châtelet-Les Halles • First Wed in the month
• Tel. 01 45 08 37 40

'A jockey's cap without a peak' were the words used by Victor Hugo to describe the old Corn Exchange built during the second half of the 18th c. A column survives from the Hôtel de Soissons which it replaced, a building said to have been used as an observatory by the astronomer of Catherine de Médicis, Henry II's wife (1547–59). When the Bourse du Commerce took over the over the building in 1889, only the beautiful dome was preserved, which had been restored after the fire of 1802. Today it is the home of the commodities exchange and the offices of the chamber of Commerce and industry

1 ***Musée Bourdelle.***
2 ***Palais de la Bourse.***
3 ***Bourse de commerce.***
4 *Interior view of the dome.*

1

The Economist
FINANCIAL TIMES
Downturn increases French gloom
THE WALL STREET JOURNAL EUROPE

2

3

4

25

Buttes-Chaumont (Parc des)

10
B3

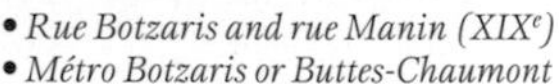

• *Rue Botzaris and rue Manin (XIXe)*
• *Métro Botzaris or Buttes-Chaumont*
• *Dawn–dusk* • *Tel. 01 44 52 29 19*

This park, now one of the most charming in Paris, is on the site of a disused gypsum quarry whose galleries used to be used as shelters by vagrants. There was also a foul smelling rubbish dump, close to the sinister gallows of Montfaucon. Like the Bois de Boulogne and the Bois de Vincennes, it was converted to its present function between 1863 and 1867, during Napoleon III's reign, by a team consisting of the town planners Alphand and Darcel, the horticulturist Barillet-Deschamps and the architect Davioud. One thousand workmen were employed every day to level the rough terrain.

A lake was created at the centre of the park, with an island in the middle, 50 m (164 feet) high, made of rocks and crowned with a little Roman temple. Many other interesting features were added: a viaduct and bridge leading to the island, a waterfall 32 m (105 feet) high, a grotto with fake stalactites, and stairs with 200 steps called the Chemin des Aiguilles.

26

Carmes-Déchaussés ou Déchaux

23
D2

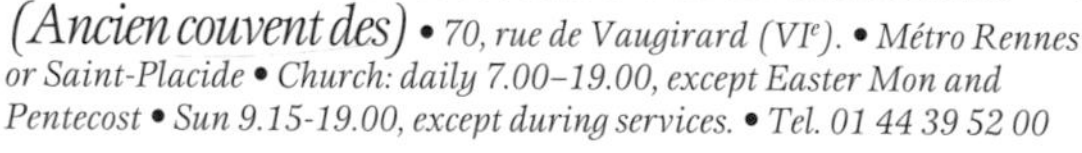

(Ancien couvent des) • *70, rue de Vaugirard (VIe).* • *Métro Rennes or Saint-Placide* • *Church: daily 7.00–19.00, except Easter Mon and Pentecost* • *Sun 9.15-19.00, except during services.* • *Tel. 01 44 39 52 00*

The Carmes-Déchaussés is a religious order which followed the Carmelite rule, reformed by Theresa of Avila, and which did not wear stockings or shoes. Its convent founded in 1611 has preserved the painful memory of the massacre of the Terreur of September 1792, which cost the life to 115 of the 160 non-jurist priests who had been locked up in the church. Their bones were buried in the crypt. Some 700 prisoners subsequently passed through the convent, 120 of whom were guillotined.

The church, erected between 1613 and 1620, is the first example in Paris of the Counter-Reformation style, imported from Rome. Behind a facade extending over two floors is a unique nave, flanked by chapels on both sides and dominated by a tower with cupola and dome which is also the first of its kind in Paris.

The well preserved original decorations include an altar designed by Bernini and a Virgin after a model by the same great Italian artist. Since the last century the buildings have been part of the Institut Catholique, a teaching establishment.

1 ***Parc des Buttes-Chaumont.*** *The island and the bridge.*
2 *The grotto and the waterfall.*
3 ***Couvent des Carmes-Déchaussés.*** *The church of Saint-Joseph.*
4 *Dome of the church of Saint-Joseph.*

1

3

4

27

Carnavalet

25
D1

(Hôtel, et Musée historique de la Ville de Paris)

• 23, rue de Sévigné (IVe) • Métro Saint-Paul
• Daily except Mon, 10.00–17.40 • Tel. 01 42 72 21 13

The Marquise de Sévigné who rented this *hôtel* at the end of the 17th c. was fascinated by the beauty of this building from the previous century. The magnificent facade is decorated with figures of the four seasons which are the work of Jean Goujon's workshop. The building was bought by the city of Paris in 1866. The museum covers the history of the capital from its origins to the present.

28

Carrousel *(Arc de triomphe du)*

20
A4

• Pl. du Carrousel (Ier)
• Métro Palais-Royal
• Ext

The triumphal arch of the Carrousel was built to commemorate the victories of the Napoleonic armies in 1805. It once formed the majestic approach to the Palais des Tuileries which was destroyed in a fire in 1871. It was built by architects Percier and Fontaine between 1806 and 1808. Its arches, flanked by eight columns in white and red marble, are decorated with statues showing the various uniforms worn by the Grande Armée.

The horses removed from St Mark's basilica in Venice by the French troops used to be on top of the arch. After their return to Venice in 1815 they were replaced by copies.

29

Catacombes

24
A4

• 1, pl. Denfert-Rochereau (XIVe) • Métro Denfert-Rochereau
• Tue–Fri 14.00–16.00, Sat–Sun 9.00–11.00 and 14.00–16.00
Closed Mon and public hols • Tel. 01 43 22 47 63

Heads, femurs and tibias artistically arranged or bones just piled up in a heap, the catacombs contain the bones of about six million people.

The decision to convert the disuesed quarries of Montrouge into an ossuary was made in 1785. First, all the remains buried in the thousand year-old cemetery of the Innocents, a dangerous source of infection in the centre of town, were moved here. These were followed by remains from the other Paris cemeteries, including the Madeleine where the victims of the Revolution were buried... among them perhaps Danton and Robespierre.

❶ ***Musée Carnavalet.*** *Facade and statue of Louis XIV.*
❷ ***Arc de triomphe du Carrousel.***
❸ ***Catacombs.*** *Bones from the cemetery of Saint-Laurent.*
❹ *Entrance to the catacombs.*

1

2

3

4

30 Centre national d'art et de culture Georges-Pompidou

21 C4

- *Rue Saint-Martin, pl. Georges-Pompidou and rue du Renard (IVe)*
- *Métro Hôtel-de-Ville, Rambuteau or Châtelet.* • *RER Châtelet-Les Halles*
- *Building and library (free) Mon, Wed–Fri 12.00–22.00, Sat–Sun and public hols 10.00–22.00; closed 1 May.* • *Tel. 01 44 78 12 33*

This daring building was originally considered too shocking for the heart of Paris and was severely criticised when it was built. Designed by architects Richard Rogers and Renzo Piano, it is now a familiar part of the Paris scene. Following the wishes of President Georges Pompidou, the Centre is devoted to contemporary art and it has been a huge success since it opened in February 1977.

An audacious building Today the building is the most visited monument in France. Consisting of five floors, it is made of glass and metal, an assembly of many similar components like a giant construction set. The colour of the external pipes and tubes is based on their function: blue for air conditioning, green for water, yellow for electricity. The lifts are painted red. The escalators on the outside of the building's structure give panoramic views of Paris as one climbs higher and higher.

Bibliothèque publique d'information The library is free and open to the public; it has 400,000 books available to all. It also contains transparencies, records, CDs, video disks and data banks, and it is well equipped for dealing with multimedia. The queues are sometimes very long, usually including large numbers of students.

Musée national d'Art moderne The museum owns large, important collections of modern art which are constantly being added to. Because of lack of display space works of art are shown in rotation and often changed. Fauvism, Cubism, Dadaism, Expressionism, Surrealism, abstract painting from the years 1950–60, Pop Art and New Realism are all represented in the museum. *L'Atelier aux mimosas* by Bonnard, *La Blouse roumaine* and *La Porte-fenêtre à Collioure* by Matisse, *L'Homme à la guitare* by Braque, *Le Portrait de jeune fille* by Picasso, *Éléments mécaniques* by Léger, and *À la Russie, aux ânes et aux autres* by Chagall are just a few of the masterpieces in the museum's collections.

❶ ***Centre national d'art et de culture Georges-Pompidou.***
❷ *Panoramic views across Paris from the Centre Georges-Pompidou.*
❸ *Reading room in the library.*

1

2

3

31 *Cernuschi* (Musée)

19
C1

• 7, av. Vélasquez (VIIIe) • Métro Monceau
• Daily except Mon and public hols 10.00–17.40
• Tel. 01 45 63 50 75

Back from a journey through Asia in search of works of art, Italian banker Enrico Cernuschi decided to build an *hôtel* near the Parc Monceau to house his collection of objets d'art. At his death he bequeathed his house and collections to the city of Paris which continues to add to his collections. China is represented by a magnificent statue of Bodhisattva seated, precious bronze vases dating from the 12th BC, funerary terracotta statuettes depicting everyday life between the 1st and 8th c. and the scroll of the *Horses and their Grooms*, a painting dating from the 8th c.

32 *Chaillot* (Palais de, Musées de la Marine, de l'Homme, Musée national des Monuments français, Musée du cinéma Henri-Langlois, Cinémathèque)

7
E6

• 17, pl. du Trocadéro (XVIe) • Métro Trocadéro • Musée de la Marine: daily except Tue 10.00–18.00; tel. 01 45 53 31 70; Musée de l'Homme: daily except Tue 9.45–17.15; tel. 01 44 05 72 72; Musée des Monuments français: daily except Tue 10.00–18.00; tel: 01 44 05 39 05; Musée du cinéma Henri-Langlois: daily except Mon, Tue and public hols; guided tours at fixed times; tel. 01 45 53 74 39; Cinema, entrance 7, av. Albert-de-Mun: Wed–Sun; 2 or 3 films daily

The history of this palace is linked to that of the universal expositions. The building was erected on top of the Chaillot hill for the 1878 Universal Exposition but its present appearance dates from the 1937 Exposition when it was substantially rebuilt.

The central part was demolished while the two wings were enlarged and extended by new galleries. The Théâtre national de Chaillot was built beneath the square which separates the two wings. Lower down, a pool embellished with powerful fountains has become a meeting place for skate boarders and rollerbladers.

The Passy wing houses the Musée de la Marine (scale models of ships, navigational instruments) and the Musée de l'Homme (collections illustrating the evolution of mankind and the various ways of life throughout the world). The Paris wing houses the Musée des Monuments français (scale models of monuments, casts of sculptures and copies of murals), the Musée du cinéma Henri-Langlois (photographs, costumes and scenery), and the Cinémathèque.

1 ***Musée Cernuschi.*** *Entrance.*
2 *A dragon guarding the outside of the museum.*
3 ***Palais de Chaillot.*** *Overall view.*
4 *Musée de la Marine : figurehead of the* Bayonnaise.
5 *Musée de la Marine : model of the* Océan.

2

3

5

33 Chapelle expiatoire

19 D2

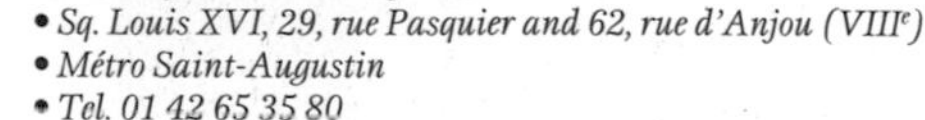

• *Sq. Louis XVI, 29, rue Pasquier and 62, rue d'Anjou (VIIIe)*
• *Métro Saint-Augustin*
• *Tel. 01 42 65 35 80*

It is thanks to a royalist lawyer that we know where the remains of the two guillotined sovereigns were originally buried. From his house near the Cimetière de la Madeleine, this man witnessed the burial first of Louis XVI, then of Marie-Antoinette. The other 1,300 victims of the Revolution were also buried there but were later moved to the Catacombs.

In 1815 the royal remains were laid to rest in the basilica of Saint-Denis. In 1816, Louis XVIII built this chapel on the spot, designed by Pierre Fontaine. It was completed in 1826. Inside are statues of the two monarchs.

34 Châtelet (Théâtre du)

20 B4

• *Pl. du Châtelet (Ier)*
• *Métro Châtelet.* • *RER Châtelet-Les Halles*
• *Events. Tel. 01 40 28 28 40*

The Boulevard du Temple was known as the *boulevard du Crime* (the boulevard of Crime) because the plays performed there were so violent. In 1862 the architect Davioud built two theatres on the Place du Châtelet to replace older establishments: the Théâtre Lyrique (Théâtre de la Ville) and the Théâtre du Cirque, now the Théâtre du Châtelet, designed for lavish productions.

Great artists who performed there included Diaghilev's Russian ballet, the tenor Caruso, the composer Mahler and the dancer Nijinski. Renovated in 1989, it is today a well-known venue for classical music and opera.

35 Cinéma (Palais du)

18 A3

• *11-13 av. du Président-Wilson and 18, av. de New-York (XVIe)*
• *Métro : Iéna ou Alma-Marceau* • *RER Pont-de-l'Alma*
• *Expected to open in 2000*

The transfer of the Centre national de la photographie to the Hôtel Salomon de Rothschild ((VIIIe) and the move of the FEMIS (Institut de formation et enseignement pour les métiers de l'image et du son) to the XVIIIe have liberated the west wing of the Palais de Tokyo. It will soon house the Cinémathèque française and the Musée du Cinéma which are still at the Palais Chaillot.

1 ***Chapelle expiatoire.*** *Statue of Louis XVI.*
2 *Statue of Marie-Antoinette.*
3 ***Théâtre du Châtelet.***
4 ***Palais du Cinéma.***

1 2

3

4

36 Cirque d'Hiver

21
D4

- *110, rue Amelot (XIe)*
- *Métro Filles-du-Calvair.*
- *Tel. 01 40 51 70 60*

The frieze with reliefs on a red background which runs round this circular building and the statues of horses flanking the entrance are a reminder that the Cirque d'Hiver, built in 1852, was originally dedicated to equestrian events. It took over from the Cirque d'Été, situated on the Champs-Élysées, from November to April. From 1861 onward it was also used for the Sunday Concerts given by the conductor Jukes Pasdeloup who made classical music available to all.

37 Cité internationale universitaire

15
D6

- *1-83, bd Jourdan (XIVe)*

- *Métro Porte d'Orléans. RER Cité universitaire*

Buildings in the English, Flemish or Japanese style, works by Le Corbusier and a construction inspired by a Greek temple are but a few of the 37 curiosities to be found in the 44-ha (109-acre) park of the Cité universitaire. The first building was the Fondation Deutsch de la Meurthe, completed in 1925. Gradually other pavilions were added including the Maison internationale, with library, theatre and swimming pool, built with the financial help of J. D. Rockefeller. Today, the Cité welcomes many students from all over the world.

38 Cité de la Musique

10
C2

- *211, av. Jean-Jaurès (XIXe)* • *Métro Porte-de-Pantin* • *Concert halls*
- *Musée de la Musique: daily except Mon; Tue–Sat 12.00–18.00; Fri 12.00–21.30; Sun 10.00–18.00* • *Tel. 01 40 05 70 00*

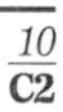

The two buildings situated at the end of the Parc de la Villette, towards the Porte de Pantin, designed by the architect Christian de Portzamparc, complete the conversion programme of the old abattoirs of La Villette. They are entirely devoted to music. The Conservatoire national de musique, to the west, has about 2,000 students. In the building to the east there is a very modern concert hall and the Musée de la Musique with instruments which used to belong to famous composers like Berlioz and Chopin. It is hard to decide if these are musical instruments or works of art – perhaps both. Guitars, violas, harps and Stradivarius violins are exhibited with with harpsichords, pianos and flutes.

❶ ***Cirque d'hiver.***
❷ ***Cité internationale universitaire.*** *British pavilion.*
❸ *Fondation Deutsch-de-la-Meurthe.*
❹ ***Cité de la Musique.***

1

2

3

4

39 Cité des Sciences et de l'Industrie

10 C1

• 30, av. Corentin-Cariou (XIXe). • Métro Porte-de-la-Villette.
• Daily except Mon 10.00–18.00, Sun 10.00–19.00; tel. 01 40 05 81 41
• Géode: daily except Mon, daily in school hols 10.00–21.00; tel. 01 40 05 12 12

The Cité des Sciences et de l'Industrie, inaugurated in 1986, is housed in the former auction rooms of the abattoirs of La Villette, which were built at great expense in the 1960s and never used. The conversion of the building into a museum devoted to science, technology and industry was carried out by the architect Fainsbilder. He concentrated on three aspects: the light which penetrates through two large cupolas and the three tall glasshouses on the south facade; the part played by plants as a result of these glasshouses; and the water which sets off the base of the building.

There is a permanent exhibition called Explora, which uses all the multimedia and computer facilities available to inform children and adults in an entertaining way. The exhibition is divided into four sections: the Earth and the Universe, life, matter and communications. The planetarium shows us the sky as it is seen by astronauts while the space station with its many rockets conjures up the experience of living and travelling in space.

There are also regular temporary exhibitions.

40 Clisson *(Hôtel de, and Archives nationales)*

21 C4

• 58, rue des Archives (IIIe)
• Métro Rambuteau

Political dramas and religious plots punctuate the history of this old manor house, built by Olivier de Clisson, Constable to Charles VI. In 1392 this gentleman escaped an attempt on his life in front of his house, instigated by Pierre de Carton. During the English presence in Paris, from 1420 to 1436, the *hôtel* confiscated by the English, belonged first to the Duke of Clarence, then to the Duke of Bedford, regent of France for Henry VI. Subsequently, it became one of the residences of the Guise family and probably saw the preparation of the massacre of the Protestants on the night of Saint Bartholomew's day (1572).

The doorway, the only vestige of the medieval building and one of the oldest examples of private architecture in Paris, was integrated into the Hôtel de Soubise in the 18th c. which today is part of the National Archives.

1 ***Cité des Sciences et de l'Industrie.***
2 *Model of the Ariane rocket.*
3 *Explora.*
4 ***Hôtel de Clisson.***

1

2

3

4

SHOPS, BOUTIQUES AND ARCADES...

With its numerous commercial quarters, its grand shops offering an enormous range of goods, its elegant covered arcades and its luxury boutiques, Paris is a paradise for anyone who enjoys window-shopping and loves shopping. From time to time the Parisians themselves think nothing of crossing from one side of the city to another to do their shopping in this or that famous shop. There is no lack of temptation!

A feast for the eyes

From the simple market stalls of the Middle Ages with their goods spilling into the street, to the pleasant and opulent shops of today, Parisian shopkeepers have evolved a great deal. How to imagine for example that the boutiques remained open in all weathers, winter and summer, until the 17th c., the period when

Many Parisian boutiques have kept their delightful old-fashioned window displays and the liveliness of stalls open to the pavement.

Avenue Montaigne, Nina Ricci : the haute couture garments are beautifully lit to encourage you to dream.

Far left:
A dress in the windows of Christian Dior, Avenue Montaigne.

Left:
Dress in Moroccan crêpe by Madeleine Vionnet (summer1935) preserved in the Musée de la Mode et du Textile (Museum of fashion and textiles).

Cartier and Chaumet: two great jewellers in the Place Vendôme.

they began to glaze the windows? As for their specialities – fashion, house wares, leisure goods, food – the shopkeepers came more and more to look after the quality of their window displays and to change frequently the way in which they attract the attention of passers by. Lingering in front of shop windows in Paris and their displays, sometimes ancient, is a pleasure in itself.

Some quarters or places in the capital are devoted to a particular kind of commerce. In some cases, such as the Faubourg Saint-Antoine, (XIe-XIIe), has been reserved for the manufacture and sale of furniture since the 15th c., the tradition is anchored in time.

The great couturehouses, which have made Paris the world capital of fashion, have for a long time been concentrated in the Avenue Montaigne, the Avenue Georges-V and the Rue François I (VIIIe), with a tendency to spread into the Faubourg Saint-Germain (VIe-VIIe). Lovers of haute couture should be sure

In the Place de la Madeleine, Hédiard and Fauchon offer carefully selected produce.

The Louvre des Antiquaires has about 200 galleries and antique shops.

The Village Saint-Paul is in the heart of the Marais.

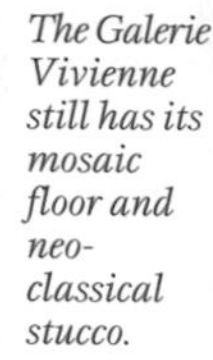

The Galerie Vivienne still has its mosaic floor and neo-classical stucco.

The gallery of the Carrousel du Louvre.

Above: Passage des Panoramas.

Right : Galerie Vérot-Dodat.

to visit the Musée de la Mode et du Textile (fashion and textile museum), which has left the pavillon de Marsan for the Rohan wing in the Louvre (107 Rue de Rivoli, I[e], Metro Palais Royal or Tuileries, tel. 01 44 55 57 50). This museum has more than 80,000 items in its collection: clothes from the 17th c. to the present, fashion accessories and pieces of textile.

The great jewellers have taken over the Place Vendôme (I[e]) and its surroundings. The luxury grocers – Caviar Kaspia, Hédiard, Fauchon… – are established in the Place de la Madeleine (VIIIe). Antique shops have gathered in the Saint-Paul area , in the heart of the Marais (IVe), in the Swiss village, Avenue de Suffren (XVe), constructed for the Universal Exposition of 1900, and in the grand old shops of the Louvre, Rue de Rivoli (main entrance 2 Pl. du Palais -Royal, Ie). There, the luxurious Louvre des antiquaires has about 200 boutiques spread over three floors.

Protection from bad weather

In 1786 Philippe d'Orléans, cousin of Louis XVI, who was always short of money, built the first shopping galleries or covered arcades in Paris. A commercial venture, he built these in the garden

Christmas Eve in the centre of the Galeries Lafayette.

Virgin Megastore, in the Champs-Élysées.

Le Bazar de l'Hôtel de Ville: an institution!

The FNAC in the Rue de Rennes: books, CDs, multimedia...

of the Palais-Royal (Ie). These wooden structures which protected customers from bad weather were destroyed in 1828, but they had been widely imitated.

Among the oldest and most attractive arcades in the capital, in the IIe, are those of the Caire (1799) and des Panoramas (1800), the Galerie Vivienne (1823), the arcades of Choiseul and Grand-Cerf (1825); the Galerie Vérot-Dodat (1826) is on the other hand in the Ie.

After 1848 the success of pedestrian walkways, covered with a glass roof and very narrow (less than 5 metres/17 feet wide),

Tati in the Boulevard Barbès: its signs have imposed themselves on the surroundings. Low, low prices…

faded away. Only about 30 of them, out of a total of some 400, escaped destruction caused by the great works of rebuilding they during the Second Empire. The 1920s and 1930s saw the appearance of new galleries in the Champs-Élysées (VIIIe) such as the present Galerie des Arcades du Lido and the Galerie Élysées-La Boétie.

Since the 1970s very large underground shopping arcades have multiplied; the Carrousel du Louvre (Ier) is one of the most recent.

The great department stores

The idea of bringing together all the various items to do with fashion, that is, fabrics, jewellery and ladies' lingerie, was born in 1784 wtith the Tapis Rouge (red carpet). The formula saw its greatest success in the second half of the 19th c. and in the early 20th c. Au Bon Marché (1852), the Bazar de l'Hôtel de Ville (1857), Au Printemps (1865), La Samaritaine (1870) and Galeries Lafayette (1895) were among the great creations of this period. The

Handsome old signs: at 13, Rue François-Miron (above) and 122, Rue Mouffetard (right).

Grands Magasins du Louvre (replaced since the 1970s by the Louvre des antiquaires), La Belle Jardinière and Les Trois Quartiers have disappeared one by one from the Paris scene. Hypermarkets at the gates of the city and large-scale distribution have dealt them a fatal blow.

The five surviving department stores are a must for many tourists who can enjoy the charm of their archigtecture, their frequently changing decoration... and the thousands of things offered for sale. At Christmas, parents and children press themselves to the the big windows admiring the highly imaginative animated displays created with toys.

Apart from the the large stores, the city has several specialist chains such as the FNAC, which sells books, records, videos, video games and multimedia, as does its rival the Virgin Megastore.

A great success

The Tati shops stand out for offering clothes and other items at unbelievably low prices . An extremely successful enterprise, it was founded just after the Second World War at a time when Paris was virtually destitute. People were attracted in enormous numbers to the Boulevard Barbès (XVIIIe), as they still are. Since then shops have opened in various parts of the city, in the Rue de Rennes (VIe) for example, and in the provinces.

When the green cross is lit up the pharmacy is open.

The reticent sign of the notaires *is a reminder that they are servants of the public.*

Very visible signs

Signs for professions and particular specialities have appeared since 1300 and they are still the order of the day, though now they are often illuminated. The tobacconists' red 'carrots' and the pharmacists' green crosses come to mind. The gilded medallions of the *notaires* (lawyers who do not handle litigation) are more discreet.

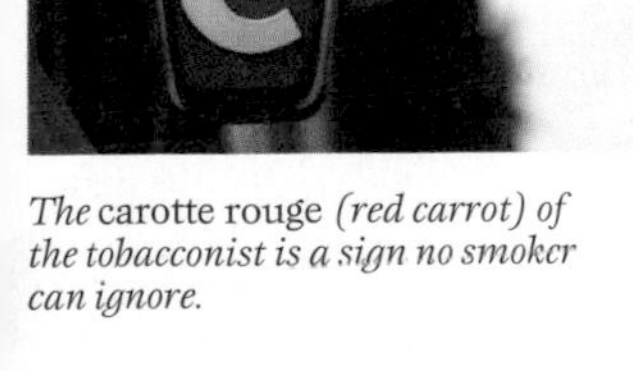

The carotte rouge *(red carrot) of the tobacconist is a sign no smoker can ignore.*

41

Clovis *(Tour, and Lycée Henri-IV)*

24
B3

• *23, rue Clovis (Ve) • Métro Cardinal-Lemoine.*
• *Visit by arrangement with the* proviseur *(head) of the lycée*
• *Tel. 01 44 41 21 21*

The abbey of Sainte-Geneviève has witnessed more processions than any other church in its history. As soon as a calamity struck Paris, and there were many, Parliament would order that the shrine containing the remains of the town's patron saint be taken to Notre-Dame.

The ceremony, preceded by collective fasting, took place with great pomp. After the celebration of a mass in the cathedral, the saint would be returned to the peace of his own church. The medieval building was destroyed during the Revolution and only the church tower, known as the Tour Clovis, the kitchens, the monks' refectory and the cloister in the grounds of the lycée Henri-IV, survive today.

42

Cluny *(Musée national du Moyen Âge, Roman baths and Hôtel de)*

24
B2

• *6, pl. Paul-Painlevé (Ve) • Métro Cluny-La Sorbonne*
• *Daily except Tue and public hols 9.30–17.45 • Tel. 01 53 73 78 00*

When Paris was called Lutetia (its name in Roman times)…

In the heart of the Latin Quarter, the remains of the Baths of Cluny (approx. 200 BC) tell the story. As with all Roman towns, the city had public baths where people came to socialise as much as to wash. The frigidarium, a large, cold, vaulted room, and the large bathing pool, are both well preserved and have now been integrated into the museum.

At the end of the 15th c. the abbots of the powerful monastic order of Cluny demolished the house from the previous century and built the luxurious Hôtel de Cluny. It is one of the rare examples in Paris of secular architecture in the flamboyant Gothic style. Confiscated during the Revolution, the building became a museum in 1843.

Museum

The Musée de Cluny has a very important collection of works of art dating from the Middle Ages. In it are the heads of kings of Judah which used to be on the front of Notre-Dame (they were then thought to be the kings of France and vandalised); remarkable tapestries such as *L'Offrande du cœur, La Vie seigneuriale* and the *Dame à la licorne*; sculptures from various churches in Paris, ivories, paintings such as the *Pièta de Tarascon*, and objects made of gold.

❶ ***Tour Clovis et lycée Henri IV.*** *The Cour du lycée.*
❷ *Tour Clovis.*
❸ ***Hôtel de Cluny.***
❹ *Thermes de Cluny: The frigidarium.*
❺ *Musée de Cluny :* Adam.

43 Cognacq-Jay (Musée)

21 C4

• 8, rue Elzévir (IIIe) • Métro Saint-Paul
• Daily except Mon and public hols 10.00–17.40
• Tel. 01 40 27 07 21

Ernest Cognacq, a former street trader and his wife, Louise Jay, founded La Samaritaine, one of the city's largest department stores. Their collection of 18th c. art includes furniture, paintings, sculptures and other artefacts, and since 1988 it has been on display in the museum named after them in the Hôtel Donon (16th c. and 17th c., for the building on the street).

44 Collège de France

24 B2

• 11, pl. Marcelin-Berthelot (V^e^)
• Métro Cluny-La Sorbonne or Maubert-Mutualité
RER Cluny-La Sorbonne • Ext

The most important names in science and literature have taught in this distinguished establishment founded in 1530 by Francis I to teach those subjects ignored by the University of Paris, such as Greek and Hebrew. In the 17th c. the college moved to the Roman Baths 'of the East', near the ones at Cluny. The buildings, rebuilt between 1774 and 1780, were enlarged in the 20th c. In the courtyard is a statue of Champollion who deciphered Egyptian hieroglyphics by studying the Rosetta Stone. Among the many famous scholars associated with the college are the historian Michelet, the physicist Becquerel and the philosopher Bergson.

45 Comédie-Française

20 A4

• 2, rue de Richelieu (Ier) • Métro Palais-Royal • Visits third Sun in the month 10.30; tel. 01 44 61 21 69 or 01 44 61 21 70; Sun morning for groups; tel. 01 44 58 13 16 • Performances: tel. 01 44 58 15 15

Classical theatre is synonymous with the Comédie-Française, the name under which Louis XIV combined several theatre companies in 1680. The company was dispersed by the Revolution but in 1799 it began to re-assemble in this building which had been built next to the Petit-Palais a few years earlier. In 1812, the company was placed under the control of the state.

In 1900, the auditorium was completely rebuilt having been destroyed in a fire. Inside, the theatre is decorated with many statues including a celebrated bust of of Voltaire by Houdon.

1 ***Musée Cognacq-Jay.***
2 L'Amour courant *(school of Falconet, 18th c.).*
3 **Collège de France** *and statue of Claude Bernard.*
4 ***Comédie-Française.*** *Entrance.*
5 *Bust of Voltaire.*

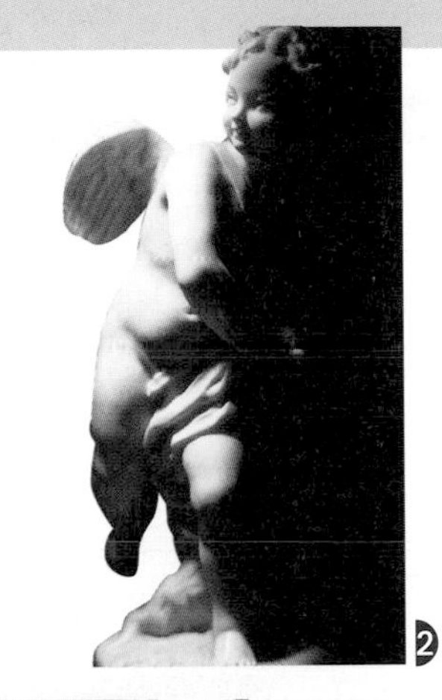

2

3

4

5

46 Concorde (Place de la)

8
B6

- *(VIIe et VIIIe).*
- *Métro Concorde*

This was built in honour of Louis XV but had the ironic fate of being chosen as the site for the guillotine which was to behead his grandson Louis XVI on 21 January 1793, and Marie-Antoinette in the following October. In 1795 the square was renamed Place de la Concorde in a spirit of reconciliation and in the hope of uniting the nation again.

History The square was designed by the royal architect Gabriel, as a fitting setting for an equestrian statue of Louis XV which had been commissioned by the city of Paris. The project was agreed in 1755, the sculpture completed in 1763 and the square inaugurated in the same year. It was in the shape of an octagon, surrounded by a deep moat which was filled in during the Second Empire (1852–70). The architect also built two elegant buildings at the Rue Royale end of the square. Inspired by the famous Perrault colonnade at the Louvre, they are one of the most harmonious expressions of what was to become Neo-classicism, a movement of which Gabriel was a precursor.

Today, these buildings are occupied by the headquarters of the Navy and the Hôtel Crillon.

In 1795, the statue of *Chevaux de Marly*, carved by Coustou for the horse pond at Marly, was moved to the entrance to the Champs-Élysées. They were replaced by copies in 1984, the originals being moved to the Louvre.

Obelisk The square was redesigned during the reign of Louis-Philippe (1830–48). The obelisk of Rameses II, given to France by the viceroy of Egypt, Mohammed Ali, was erected at the centre of the square. The story of the removal of the 3,000 year-old monolith from the Temple of Luxor, its transport by sea which lasted two and half years, and its erection is narrated on the base. On 25 October 1836 some 200,000 people came to watch the final stage of the operation which was certainly as fascinating as the previous ones. Two fountains, rostral columns, elaborate lamp standards and eight statues representing French cities completed the new design.

1 ***Place de la Concorde.***
2 *Perspective of the obelisk and the Eiffel Tower.*
3 *Base of the obelisk with details of its installation.*
4 *Hôtel Crillon.*
5 *Replica of one of the Marly horses.*

1

3

5

47 Contrefaçon (Musée de la)

7
D5

• *16, rue de la Faisanderie (XVIe) • Métro Porte-Dauphine*
• *Mon–Thur 14.00–17.00; Fri 9.30–12.00; Sun 14.00–18.00*
• *Tel. 01 45 01 51 11*

Cartier watches, Louis Vuitton luggage, Chanel clothes, champagne: these are some of the French luxury goods which are widely copied throughout the world. The Union of manufacturers for the protection of industrial and artistic ownership has been fighting for over a century against counterfeiting, and in this little museum it exhibits fakes and genuine pieces side by side. The exhibition also includes information on the laws punishing counterfeiting and the economic ramifications of forgery.

---

48 Cordeliers (Couvent des)

24
A2

• *15, rue de l'École-de-Médecine (VIe) • Métro Odéon*
• *11.00–18.00, when temporary exhibitions are running*
• *Tel. 01 43 29 39 64*

The Franciscan friars owe the name of Cordeliers to the rope they tie round their waist. It was also the name of the convent founded in the 8th c., on the site of the present faculty of medicine, where the Franciscans provided theological education which was famous throughout Europe. Today only the refectory, built at the end of the 14th c., survives. Inside, slender wooden pillars support the timber ceiling. During the Revolution the convent became the headquarters of the club which Danton founded in 1790, which was naturally called the Club des Cordeliers.

---

49 Crypte archéologique de Notre-Dame

24
B1

• *Pl. du Parvis-Notre-Dame (IVe) • Métro Cité • Daily Oct–Mar 10.00–16.30; Apr–Sept 10.00–17.30 • Tel. 01 43 29 83 51*

It is very likely that the Gallic tribe of the Parisii built the *oppidum* (town) on the Île de la Cité which is mentioned in Julius Caesar's Gallic Wars. After the Roman general had conquered Gaul (58–51 BC) this fortress became the heart of the Gallo-Roman city of Lutetia. Traces of the fort were first discovered when the car park under the parvis of Notre-Dame was being built. Further digging between 1965 and 1972 has revealed traces of the port, ramparts and under-floor heating system (hypocaust) from the 1st to the 4th c.

❶ ***Musée de la contrefaçon.*** *Counterfeit labels imitating well-known brands.*

❷ ***Couvent des Cordeliers.*** *The refectory, used as an exhibition room.*

❸ ***Crypte archéologique de Notre-Dame.***

1

2

3

Delacroix (Musée)

50 Delacroix (Musée)

24
A1

• *6, rue de Furstemberg (VIe)* • *Métro Mabillon or Saint-Germain-des Prés*
• *Daily except Tue 9.00–18.00*
• *Tel. 01 44 41 86 50*

Eugène Delacroix, painter of *The death of Sardanapalus*, *Liberty guiding the people* and *Algerian women in their apartment*, which are now in the Louvre, lived and worked here from 1857 until his death six years later. The State bought the house in 1952 and turned it into a museum depicting the life and work of one of the leading figures in the Romantic movement.

51 Déportation (Mémorial des martyrs de la)

25
C2

• *Sq. de l'Ile-de-France (IVe)* • *Métro Cité*

• *Daily 10.00–12.00, 14.00–19.00 (17.00 from 1 Oct to 31 Mar)*

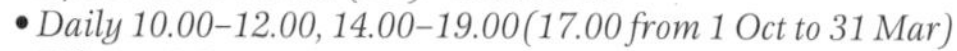

• *Tel. 01 49 74 34 05*

At the southern point of the Île de la Cité is a very moving crypt dedicated to the 200,000 French men, women and children who died in the Nazi concentration camps during the Second World War. The work of Georges Pingusson recreates symbolically the tragic journey of those deported to the camps. The tomb of the unknown deportee invites visitors to collect their thoughts.

52 École militaire and Champ-de-Mars

22
B2

• *1, pl. Joffre (VIIe)*
• *Métro École-Militaire*
• *Ext* • *Int on written request to the* commandant d'armes *(army commander)*

The Plaine de Grenelle was originally the domaine of market gardeners and hunters, but it became the army's territory in the 18th c. In 1751 Louis XV asked his best architect, Jacques-Ange Gabriel, to draw up the plans for the military school he was planning for the impoverished nobility. Among its pupils was Napoleon Bonaparte who spent a year there. Considered too costly, it was closed down in 1788. The Champ-de-Mars, in front of the school, was used as a parade ground for exercising and reviewing the troops. Later it was used for large-scale public events such as the Festival of the Federation on 14 July 1790 and the Festival of the Supreme Being in 1794. It was also used for the various Universal Expositions held in Paris between 1867 to 1937. Today it has been turned into gardens. Since the end of last century, the École militaire has been responsible for the training of army officers.

❶ ***Musée Delacroix.***
❷ ***Mémorial des martyrs de la déportation.***
❸ ***École militaire.*** *Statue of Maréchal Joffre.*
❹ *Cour d'honneur.*

1

3

4

53 Eiffel Tower

18
A4

- *Champ-de-Mars (VIIe) • Métro Bir-Hakeim • RER Champ-de-Mars*
- *9.30–23.00; 21 Mar–22 Sept 9.00–23.00; Jul–Aug 9.00–midnight*
- *Tel. 01 44 11 23 23*

'The useless, monstrous Eiffel Tower', 'the disgrace of Paris', 'a black, gigantic factory chimney, crushing Notre-Dame and the Sainte-Chapelle with its barbaric mass', 'the odious column of bolted pig iron'.

Severe criticism These were the words used by the petition of the *Trois cents* condemning the monument in 1887. Published in the newspaper *Le Temps*, it was signed by famous people such as Dumas *fils*, Maupassant and Garnier, the architect of the Paris Opera House. In 1909 it was almost demolished when Gustave Eiffel's concession came to an end. It owes its salvation to the important telegraphy equipment which was installed on it. Today it is the very symbol of Paris and one of the city's most popular monuments.

History In 1886, a committee was charged with chosing the winning project among some 700 proposals for a metal tower 300 m (nearly 1,000 feet) high to mark the entrance to the Universal Exposition which was to commemorate the centenary of the French Revolution. It chose the project submitted by Gustave Eiffel and designed by two civil engineers from his company, Nouguier and Koechlin, assisted by the architect Sauvestre. The tower was built between January 1887 and March 1889. The site became a fashionable attraction with 150 highly skilled workmen assembling thousands of pieces which had been prefabricated and numbered in the factory. There were no fatalities among the work force. The tower consists of four pillars which join up at the second level. In 1957 the tower's height was increased from 300.01 m (984 feet) to 320.75 m (1,052 feet) by the addition of television aerials. In hot weather the height increases by a further 15 cm (about 6 inches) because of thermal expansion.

It remained the tallest building in the world until 1930 when the Chrysler Building, 324 m (1,063 feet) high, and the Empire State Building, 381 m (1,250 feet) high) were built in New York. The Eiffel Tower weighs 9,699,490 kg (9,546 tons) and its structure consists of 15,000 metal pieces held together by 2,500,000 rivets.

The three platforms are linked by 1,652 steps, as well as lifts. The panorama of Paris and its surroundings is breathtaking in clear weather.

1 ***The Eiffel Tower****, seen from the Trocadero.*
2 *Detail of the metal structure of the tower.*
3 *Bust of Gustave Eiffel.*
4 *Reconstruction of Gustave Eiffel's office.*

1

3

4

54 Élysée *(Palais de l')*

19
C3

- *55, rue du Fg-Saint-Honoré (VIIIe)*
- *Métro Champs-Élysées-Clemenceau*

Louis XV's mistress the Marquise de Pompadour is one of the first of the long list of famous names who lived in this *hôtel*, built 1718–20 for Louis de La Tour, Count of Évreux. Madame de Pompadour bought it in 1753 and filled it with sumptuous furniture. She also extended the garden. Maréchal Murat and his wife Caroline Bonaparte lived here between 1805 and 1808. Napoleon Bonaparte signed his abdication here, while his nephew Napoleon III prepared the 1851 Coup d'État in the Elysée to restore the Empire. In 1873 it became the official residence of the head of state and since then it has been the residence of some 20 presidents of the Republic.

55 Ennery *(Musée d')*

7
D5

- *59, av. Foch (XVIe)* • *Métro Porte-Dauphine*

- *Thur, Sun and public hols, 14.00–19.00*
- *Tel. 01 45 53 57 96*

The Musée d'Ennery contains Chinese and Japanese statuettes, vases, boxes, furniture, masks, jade, lacquer ware, bronzes, dolls and netsuke (carved buttons): almost 6,000 objets d'art from the Far East (mainly 17th–19th c.) are exhibited in all. The collection was assembled by the playwright Adolphe d'Ennery (1811-1899) and his wife. They bequeathed it to the State which converted the mansion they had built into a museum.

56 Gaîté lyrique *(Théâtre de la)*

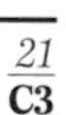

21
C3

- *3-5, rue Papin (IIIe)*
- *Métro Réaumur-Sébastopol*

The luxurious Gaîté lyrique theatre itself no longer exists today, having fallen victim of a series of unfortunate alterations between 1974 and 1985. The only parts of the building to survive are the foyer and the beautiful facade with arcades supported by red marble columns, topped with bronze capitals. The theatre was built during the Second Empire (1861–62). Its director was Offenbach, the famous composer of operettas and opera bouffe.

❶ ***Palais de l'Élysée.*** *Wought iron gate with cockerel.*
❷ ***Musée d'Ennery.***
❸ *18th-c. Japanese faïence.*
❹ *Child with basket (18th-c. Japanese faïence).*
❺ ***Théâtre de la Gaîté lyrique.***

57 Galliera (Palais, and Musée du Costume)

18 A3

- *10, av. Pierre-Ier-de-Serbie (XVIe) • Métro Iéna or Alma-Marceau*
- *Visits except during exhibitions; daily except Mon 10.00–17.40*
- *Tel. 01 47 20 85 23*

This palace built in the Italian Renaissance style to house collections of 17th c. Italian art was never used for the purpose. The Duchesse de Galliera who commissioned the building in 1888 wished to bequeath it together with her collections of objets d'art to France. However, for administrative reasons, these remained in Genoa and the city of Paris only received an empty building. Since 1977, the building has housed the Musée de la Mode et du Costume with over 10,000 costumes dating from the 18th c. up to the present day.

---

58 Gares (de Lyon, du Nord, Maine-Montparnasse)

23 C3

- *Gare de Lyon, 20, bd Diderot (XIIe)*
  - *Métro Gare-de-Lyon • RER Gare-de-Lyon*
- *Gare du Nord, pl. Napoléon III (Xe)*
  - *Métro Gare-du-Nord • RER Gare-du-Nord*
- *Gare Maine-Montparnasse, pl. Raoul-Dautry (XVe)*
  - *Métro Montparnasse-Bienvenüe*

In 1837 the first steam train arrived in Paris, leaving a trail of dense smoke behind it. It immediately led to the construction of the first 'platform' for passengers at the terminus of Saint-Germain-en-Laye-Paris. Further railway lines were swiftly built and more stations followed.

The first Gare de Lyon which came into service in 1849 was completely rebuilt between 1895 and 1902 for the Universal Exposition of 1900. Its distinctive square tower with four clock faces dates from that period, dominating the main arcaded building. The celebrated restaurant *Le Train bleu* with its richly painted decor is situated on the mezzanine floor.

The Gare du Nord was built 1861–66 by the architect Hittorff. Behind its beautiful classical facade is a vast metal train shed, still capable of coping with the greatly increased number of passengers.

The Gare Maine-Montparnasse was completely rebuilt in 1969 and has recently been developed to accommodate the TGV Atlantique. A slab of concrete supporting a garden conceals the tracks. Nothing remains of the old station where, on 22 October 1895, the steam locomotive of the Granville express crashed through the facade, ending up on the square lower down.

❶ ***Musée Galliera.***
❷ ***Gare du Nord.***
❸ ***Gare Montparnasse.*** *In the background is the Tour Montparnasse.*
❹ ***Gare de Lyon.*** *Dining room of* Le Train bleu *restaurant.*

1

2

3

4

59 Géode

10 **C2**

- *30, av. Corentin-Cariou (XIXe) • Métro Porte-de-la-Villette.*
- *Daily except Mon; daily during school hols 10.00–21.00*
- *Tel. 01 40 05 12 12*

An enormous steel globe 36 m (118 feet) in diameter, floating on a sheet of water: the Géode provides the amazing experience of films projected onto a hemispherical screen of 1,000 m^2 (10,700 square feet). The globe was conceived by Fainsbilder, the architect who designed the Cité des Sciences et de l'Industrie next to the Géode. The auditorium can seat 357 people; it has reclining armchairs and a perforated screen for high quality sound. The films shown concentrate on subjects such as space, aviation and nature, as well as music with a Rolling Stones concert.

60 Gobelins *(Manufacture des)*

25 **C4**

- *42, av. des Gobelins (XIIIe) • Métro Gobelins*
- *Rue–Thur 14.00–14.45*
- *Tel. 01 44 08 52 00*

The dyer J. Gobelins set up his workshop in this district of Paris in the 15th c. In 1607, Henry IV invited some Flemish tapestry makers to settle there. It was there too that Colbert, Louis XIV's powerful minister, founded the *Manufacture royale des meubles de la Couronne* (the state furniture factory). The buildings date from the 17th and 18th c. Here the Gobelins tapestry makers produced their sumptuous tapestries after cartoons by great painters such as Le Burn, Migrant, Poisson, Bouncer and more recently, Chagall and Picasso. In the 19th and 20th c. the Manufacture des tapes de la Savonnerie and the ateliers of the tapestries of Beauvais moved here.

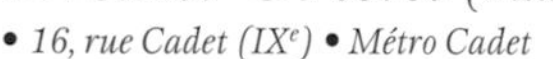

61 Grand-Orient *(musée du)*

20 **B2**

- *16, rue Cadet (IXe) • Métro Cadet*
- *Mon–Sat 14.00–18.00; closed Sun, public hols and first 15 days of Sept*
- *Tel. 01 45 23 20 92*

The Musée du Grand-Orient is in the glass and aluminium building of the Grand-Orient de France, one of the two French Masonic lodges affiliated to the Grande Loge nationale de France. It tells the story of this international order. The displays include symbols of recognition and the different ranks of freemasons, together with their meanings, and portraits of famous people who have belonged to the society.

1 ***La Géode.*** *Cité des Sciences et de l'Industrie.*
2 ***Manufacture des Gobelins.***
3 L'hirondelle d'amour *(Miró).*
4 ***Musée du Grand-Orient.*** *Master's apron.*

1

2

3

4

THE FACADES AND ROOFS OF PARIS

Every new visitor to Paris is struck by the same impression: the architectural unity of the capital and the consistency of many of its facades. The older houses and buildings seem to integrate perfectly with the modern city; in fact for centuries town planners, property developers and architects have conformed to very strict planning and building regulations. But a deeper investigation reveals a city of extraordinary variety, possibly with a wider mixture of styles and periods than any other capital city.

Competition for the oldest house

The oldest house in Paris is nearly six centuries old: it is at 51, Rue de Montmorency (IIIe) and it was built originally in 1406 for Nicolas Flamel, bookseller and illuminator of manuscripts. Legend has it that he paid for the work with the proceeds of his activities as an alchemist and his knowledge of the secret

House of Nicolas Flamel, 51, Rue de Monmorency (IIIe).

3, Rue Volta (IIIe).

174–176, Rue Saint-Denis (IIe).

11–13, Rue François Miron (IVe).

12, Rue des Barres (IVe).

of transforming base metal into gold…

The building at 3, Rue Volta (IIIe), which for a long time was thought to be the oldest house in Paris actually only dates fom the middle of the 17th c. There are other medieval houses at 31 and 33, Rue Galande (V^{e}), and at 11 and 13, Rue François-Miron (IVe).

The gabled half-timbered houses at 12, Rue des Barres (IVe) and at 174 et 176, Rue Saint-Denis (IIe) are examples of 16th-c. archtiecture.

Top: the Boulevard Saint-Michel (V^{e}-VIe) and its Haussmann buildings.

Above: two views of the Castel Béranger, 14–16, Rue La Fontaine (XVIe).

The entrance to 29, Avenue Rapp (VIIe).

Rules to be obeyed

It was at exactly this time that the first regulations were introduced to control the alignment of buildings. This was both for aesthetic reasons and for practical ones of circulation. In 1783–84, fiurther legislation defined the height of buildings in relation to the width of the street. A height of 20 m (66 feet) was

The left bank of the Seine (XVe) from the Pont Mirabeau.

Centre Galaxie, Place d'Italie (XIIIe).

only allowed if the width of the street was at least 9.75 m (32 feet), and the number of floors was fixed at six including the attic. In a street 7.80 m (25½ feet) wide the maximum height of the buildings was 12 m (39 feet). In 1859, during the Second Empire, Baron Haussmann, the great rebuilder of Paris, added to the old measurements and imposed very stringent rules on new buildings. He insisted that facades should respect the same design and use the same materials.

In 1902, to break the uniformity of the 'Haussmann' buildings, a decree allowed projecting elements, such as bow windows and corbelling. But the city council did not wait until then to organise competitions for facade designs to stimulate creativity. It also rewarded the architect Guimard, designer of the Castel Béranger at 4–16, Rue La Fontaine (XVIe) in 1898, Lavirotte, for 29 Avenue Rapp (VIIe),

The arcades of the Rue de Rivoli (Ier–IVe) are especially appreciated when it is raining.

The Egyptian goddess Hathor watches from the facade of 2, Pl. du Caire (IIe).

in 1901, and Klein, for the Art Nouveau decoration of 9 Rue Claude-Chahu (XVIᵉ). Since the 1930s the taste for decoration has diminished.

A false note

In 1967 the legislation was relaxed and allowed taller buildings. The embankments of the Seine, the areas of the Place d'Italie and Montparnasse, the surroundings of the Gare de Lyon saw a surge of high-rise buildings which destroyed the unity of the city. From 1974, a lively reaction of public opinion against these constructions brought about a return to the earlier principles, and in particular the relationship of the heights of buildings to the width of the streets.

The Ministère des Finances at Bercy (XIIᵉ), like an immense ship beside the Seine.

The very modern Fondation Cartier at 261, Boulevard Raspail (XIVᵉ).

Villas in the Rue Mouzaïa (XIXᵉ); a charming hint of the provincial.

1, Rue Danton (VIᵉ). The first reinforced concrete building in Paris.

Wandering the streets

The facades of Paris have some agreeable surprises for the alert pedestrian who keeps looking upwards. There are so many that only a few examples can be given here. Who could not admire the buildings of the Rue Royale (VIIIᵉ), created in the 18th c. by the architect Gabriel, designer of the Place de la Concorde (VIIIᵉ), or the arcaded buildings of the Rue de Rivoli (Iᵉʳ–IVᵉ) which were started in 1800? Who would expect to find images of the Egyptian goddess Hathor in the heart of the Sentier quarter? This is the indeed the surprising decoration of the building at 2, Pl. du Caire (IIᵉ), which was

Zinc has taken over the roofs of Paris since the middle of the 19th c.

The imposing structure of the Sacré-Cœur floats above the roofs of the capital.

built in 1798, well before the fashion for everything Egyptian inspired by Napoleon's Egyptian campaigns (1798–1801).

Contrasting with very rich architectural ornamentation such as on the neo-Renaissance building erected in 1840 at 28, Pl. Saint-Georges (IXe) is the extreme severity of contemporary architecture. The Ministère des Finances at Bercy, the former Centre américain at 51, Rue de Bercy (XIIe) and the Fondation Cartier at 261, Boulevard Raspail (XIVe), are some recent examples.

As a counterpoint to these grand creations are here and there in Paris discreet little houses which seem to belong more to a village than a pulsating capital; for example, those in the Rue de la Mouzaïa (XIXe).

But to find the first reinforced concrete building in Paris, it is a case of returning to the centre of the city: it is at 1, Rue Danton (VIe).

Trompe-l'œil bookshelves at 129, Rue Raymond-Losserand (XIVe).

Zinc and wrought iron

The zinc roofs bristling with chimneys and aerials, and the old wrought iron balconies covered all too rarely with flowers, irresistibly evoke the atmosphere of Paris. Zinc was first used in 1840 and during the Second Empire it conquered the roofs of the capital, completely replacing tiles and slates. This grey terrain belongs to the birds – pigeons and sparrows, of course, but in summer, swifts and swallows as well.

A blind wall comes to life in the Rue La Fayette (X^e).

An imaginary world

Architects and town planners do not have a creative monopoly in Paris. In the second half of the 19th c. the idea of livening up dull surfaces such as blind walls with painted advertisements came to be accepted. Since the 1970s artists have been given the responsibility of cheering up these blank spaces, under the strict control of a wall painting committee. There are clever trompe-l'œil murals like the raising of a theatre curtain (at 19 Rue Nicolas-Appert, XIe) and a metal greenhouse (at 60 Rue de Reuilly, XIIe), as well as frescoes with a great variety of themes. These include paintings inspired by prehistory (Square Alésia-Ridder at 233 Rue d'Alésia, XIVe), Egyptian antiquity (Pl. de Torcy, XVIIIe) or ancient Rome (106, Rue Falguière, XVe), others evoking the mythology of Belleville (Rue de Belleville, XXe), an enormous imaginary book case (129, Rue Raymond-Losserand, XIVe), and strange arrangements of windows (29, Rue Quincampoix, IVe, Pl. du Père-Marcellin-Champagnat, XVIe, or Rue de Penthièvre, VIIIe). There is an enormous number of works to attract and surprise the wandering tourist. A wall has a painting by Ménager (Rue de Crimée, XIXe), and another has an amazing through-the-wall sculpture inspired by Marcel Aymé's novel *Le Passe-Muraille* (Pl. Marcel-Aymé, XVIIIe). At Rue des Haudriettes (IIIe), Rue de Metz (X^e), and many other streets, artists have given free reign to their imagination. There is a list of painted murals (some already crying out for restoration) available from the Direction de l'aménagement urbain de la mairie de Paris (9, pl. de l'Hôtel-de-Ville, IVe, tel. 01 42 76 30 19).

The passe-muraille *in the Place Marcel-Aymé (XVIIIe).*

62

Grand Palais et palais de la Découverte

19
C3

• 3, av. du général-Eisenhower and av. Franklin-D. Roosevelt (VIIIe) • Métro Champs-Élysées-Clemenceau • Exhibitions at the Grand Palais. daily except Tue 10.00–20.00, Wed 10.00–22.00 • Tel. 01 44 13 17 30 • Palais de la Découverte: Tue–Sat 9.30–18.00, Sun 10.00–19.00 • Tel. 01 40 74 80 00

The Grand Palais and Palais de la Découverte were built for the Universal Exposition, changing the face of the right bank of the Seine. Two buildings were erected, one on either side of a wide, new avenue: the Petit Palais and the Grand Palais. The latter, the work of several architects, was designed for exhibitions. The great hall supported by ironwork, in the shape of an H, is concealed behind a classical facade embellished with a colonnade. In 1937, the area reserved to exhibitions was reduced to make room for the Palais de la Découverte. The museum introduces visitors to science through a series of experiments. It also has a superb planetarium.

63

Grévin (Musée)

20
A2

• 10, bd Montmartre (IXe) • Métro Rue-Montmartre
• Daily 13.00–19.00; school hols 10.00–19.00
• Tel. 01 42 46 13 26

The murder of the Duc de Guise in 1588, the execution of Louis XVI in 1793 and scenes from Zola's *Germinal*: the wax figures at the Musée Grévin, opened in 1882, illustrate the history of France and its major literary works. Other waxworks representing famous people of the past and of today. There are also conjuring shows and a hall of mirrors.

64

Guénégaud (Hôtel, and Musée de la Chasse et de la Nature)

21
C4

• 66, rue des Archives (IIIe) • Métro Hôtel-de-Ville • Museum (fee): daily except Tue and public hols 10.00–12.30, 13.30–17.30 • Tel. 01 42 72 86 43

The Hôtel Guénégaud des Brosses was built between 1652 and 1665 by the architect Mansart. It contains the museum of hunting with collections of weapons throughout the ages, from prehistory to the 19th c., hunting trophies, stuffed animals, paintings, engravings and objects decorated with hunting motifs.

1 ***Grand Palais.*** *In the background, the Petit Palais.*
2 ***Palais de la Découverte.*** *Entrance.*
3 ***Musée Grévin.*** Louis XVI.
4 ***Hôtel Guénégaud.***
5 *Musée de la Chasse. African trophies.*

A ETE CONSACRE
PAR LA REPUBLIQUE

65 Guimet *(Musée national des Arts asiatiques)*

18
A3

- *6, pl. d'Iéna and 19, av. d'Iéna for the Buddhist pantheon annexe (XVIe)*
- *Métro Iéna*
- *Daily except Tue 9.45-18.00* • *Tel. 01 47 23 61 65; closed for renovation*
- *Guimet-panthéon bouddhique: same times* • *Tel. 01 40 73 88 11.*

Émile Guimet, an industrialist, had a passion for Asian art. He collected many works of art and artefacts during his trips to the Far East. They were first exhibited in Lyon where he was born, in a museum bearing his name. In 1884 he bequeathed his collection to the State which moved it to Paris where it was housed in a specially built museum. A library and centre of Oriental studies soon followed.

Guimet's original collections are constantly being added to as a result of new excavations and purchases. Khmer art is extremely well represented as is Chinese art with superb collections of bronzes, lacquer ware and ceramics. It also includes magnificent collections of artefacts from India, the Himalayas, Afghanistan, Vietnam, Laos, Japan and Korea. The Guimet-panthéon bouddhique (Buddhist Pantheon) boasts a beautiful collection of sculptures dedicated to Japanese Buddhism.

66 Halles *(Forum et jardins des)*

20
B4

- *Between the rue Pierre-Lescot, rue Berger, rue Rambuteau and la Bourse de commerce (Ier).*
- *Métro Châtelet or Les Halles* • *RER Châtelet-Les Halles*

Buildings 'with two-tiered roofs, rows of shutters, enormous warehouses' and the hustle and bustle of the market: the ancient *halles* of the capital, vast structures supported by iron girders, built from 1853 onward by the architect Baltard, were immortalised by Zola in *The Belly of Paris*.

In the 1960s, Les Halles were moved to Rungis because of traffic congestion and lack of space for traders. All there was left after the buildings were demolished (except for one which was re-erected at Nogent-sur-Marne) was a gigantic hole in the heart of Paris.

What could be done with it? There were countless projects and heated discussions for several years. Today, this great hole houses the Forum des Halles, a shopping mall on four floors, and the Espace Pierre-Lescot which includes a conservatory, municipal library and entrances to the Forum, a 5-ha (12-acre) garden, tropical greenhouse and swimming pool.

1 ***Musée Guimet.***
2 *Pediment of the Banteay Srei (Khmer art).*
3 ***Forum des Halles.*** *Garden.*
4 *Pavillon des Arts.*
5 *Overall view.*

67 Hébert (Musée)

23 **C3**

• *85, rue du Cherche-Midi (VIe) • Métro Sèvres-Babylone*
• *Daily except Tue 12.30–18.00, Sat–Sun and public hols 14.00–18.00; visit first Tue of each month: 12.30–13.30 • Tel. 01 42 22 23 82*

The museum, housed in an elegant 18th c. *hôtel*, is devoted to the work of the painter Hébert who was a cousin of the novelist Stendhal. He was born in the Dauphiné and died in 1908 having received many official awards during his lifetime. His work includes a large number portraits of women as well as watercolours of Italian landscapes which he painted during the many years he spent in Italy, and large allegorical compositions.

68 Henner (musée Jean-Jacques)

18 **B1**

• *43, av. de Villiers (XVIIe) • Métro Malesherbes or Wagram*
• *Daily except Mon 10.00–12.00, 14.00–17.00*
• *Tel. 01 47 63 42 73*

In 1924 the nephews of the Alsacian painter Henner bequeathed his 19th-c. *hôtel* and works illustrating the development of his career to the State. Henner's specialities were portraits, paintings of nymphs, female nudes with skin like mother-of-pearl, and religious subjects.

69 Hôtel de Ville

25 **C1**

• *4, pl. de l'Hôtel-de-Ville (IVe) • Métro Hôtel-de-Ville*
• *Guided visit to the main rooms: Mon 10.30*
• *Tel. 01 42 76 50 49*

In 1357 the city council of Paris moved to the *Maison aux Piliers*, situated on the place de Grève (Place de l'Hôtel-de-Ville since the 19th c.); it was there that workers without a job waited for work, hence its name (*grève* is the French word for 'strike'). The first gallows were set up in the square in the 15th c. which remained a place for public executions until 1832. On 23 June, the eve of the feast of St John, the square would become a more cheerful place. Large bonfires containing fireworks were lit and people enjoyed themselves at the cost of the State. In the 16th c. the *Maison aux Piliers* was replaced by the Hôtel de ville, completed the following century and further enlarged 1836–50. The monuments and works of art it contained were destroyed by fire during the Commune in 1871, during the *Semaine sanglante* (bloody week). The central, older, part was rebuilt to be identical with the original building. The rest was built in a highly ornate style and opened in 1882.

1 ***Musée Hébert.*** Jeune Lavandière songeuse *(Young washerwoman).*
2 ***Musée Henner.*** Autoportrait *(Self-portrait).*
3 *Overall view of the exhibition hall.*
4 ***Hôtel de ville de Paris.***

2

3

4

70

Institut de France

24
A1

• *21, quai de Conti (VIe)*
• *Métro Louvre, Pont-Neuf ou Saint-Germain*
• *Sat–Sun 10.30 and14.30* • *Tel. 01 44 41 44 41*

In the 17th c. cardinal Mazarin bequeathed funds to set up the Collège des Quatre Nations (the four provinces attached to France while he was in office). Its aim was to educate 60 children from those regions. The architect Louis Le Vau designed a semi-circular facade with a domed chapel in the centre, and completed by two pavilions. In 1805 Napoleon moved the Institut de France into these buildings. The Institut included the Académie francaise, founded in 1635, the Academie des inscriptions et belles-lettres (1664) and the Academie des sciences (1666). In 1816, it incorporated the Académie des beaux-arts and in 1832, the Academie des sciences morales et politiques.

71

Institut du monde arabe

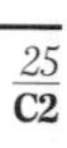

25
C2

• *1, rue des Fossés-Saint-Bernard (V^e)* • *Métro Jussieu or Cardinal-Lemoine* • *Museum : daily except Mon 10.00–18.00* • *Library (free): daily except Sun and Mon 13.00–20.00* • *Tel. 01 40 51 38 38*

In 1980, France and some 20 Arab countries decided to set up a centre in Paris which would encourage cultural links between the various Islamic countries. The building was designed by the architects Nouvel, Soria, Lézenès and Bernard. The north facade, in glass, represents western culture. The south facade consists of 240 panels of aluminium containing 27,000 photoelectric cells of varying sizesand is reminiscent of Arab moucharabiehs.

The museum houses pre-Islamic and Islamic works of art. The library boasts thousands of books on Arab-Muslim history and civilisation.

72

Institut Pasteur

22
B3

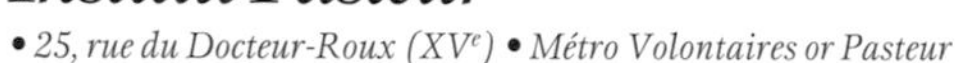

• *25, rue du Docteur-Roux (XVe)* • *Métro Volontaires or Pasteur*

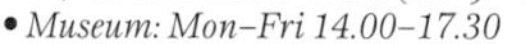

• *Museum: Mon–Fri 14.00–17.30*
• *Tel. 01 45 68 82 82*

In 1855, Louis Pasteur gave his first vaccine against rabies to a human being, the young Joseph Meister whose life he saved. After this success which excited great interest, a subscription was launched which led to the building of an institute in 1888. The museum also has a reconstruction of Pasteur's laboratory and apartment. He is buried in a crypt in the basement.

1 ***Institut de France.***
2 ***Institut du monde arabe.***
3 *Internal detail of the south facade (moucharabieh).*
4 ***Institut Pasteur.*** *The dining room of Pasteur's apartment.*

1

2

4

INVALIDES (Hôtel des)

73 Invalides (Hôtel des, and Musée de l'Armée)

23 C1

• Esplanade des Invalides (VIIe) • Métro Varenne or Latour-Maubourg • Musée de l'Armée, Musée de l'Ordre de la Libération and Église du Dôme: 10.00–18.00 (17.00 from 1 Oct to 31 Mar); church until 19.00 from 1 June to 31 Aug • Tel. 01 44 42 37 72; Musée des Plans-Reliefs: daily except public hols 10.00–12.00, 14.30–17.00, 18.00 in summer • Église Saint-Louis-des-Invalides (free): daily 9.30–17.00 winter, 17.30 summer • Tel. 01 44 42 37 65

Louis XIV founded the hôtel des Invalides as a home for war veterans and wounded soldiers. Designed by L. Bruand, this vast complex was erected between 1671 and 1678. Based on a symmetric ground plan, the various buildings are constructed around the main forecourt and a series of secondary courtyards. The sober, harmonious facade stretching along the esplanade is 195 m (213 yards) long.

Churches The construction of the two churches of the Hôtel des Invalides, the *Église des soldats* (soldiers' church) or church of Saint-Louis and the *Église du Roi* (King's church) or Dôme des Invalides, situated at the two opposite entrances, was supervised by Jules Hardouin-Mansart from 1676 onward. The dome, one of the wonders of classical architecture, is 101 m (331 feet) high including the cross. Since 1840 the red porphyry sarcophagus containing Napoleon I's ashes has rested here.

Museum The Musée de l'Armée, also in the *hôtel,* has a very impressive collections of weapons, armour, uniforms and flags tracing the development of military history across the world throughout the ages. The Musée des Plans-Reliefs shows the series of models of towns and fortresses started during the reign of Louis XIV, and added to up to the time of Napoleon III (1852–70).

74 Jacquemart-André (Musée)

18 B2

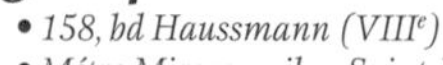

• 158, bd Haussmann (VIIIe)
• Métro Miromesnil or Saint-Philippe-du-Roule
• Daily 10.00–18.00 • Tel. 01 42 89 04 91

This beautiful 19th c. *hôtel* and its rich collections of 18th c. French art, Flemish and Italian Renaissance paintings were bequeathed to the state at the beginning of the 20th c. by the painter Nélie Jacquemart, the widow of the great collector Édouard André with whom she had collected these works of art. The museum has paintings by artists including Fragonard, Boucher, Rembrandt, Mantegna, Uccello and Donatello.

1 ***Hôtel des Invalides.*** *Overall view with the dome.*
2 *Tomb of Napoléon I.*
3 ***Musée Jacquemart-André.*** *Statue at the entrance.*
4 *Facade.*

1

2

3

4

75 Jardin des Plantes (Muséum national d'histoire naturelle, garden, menagerie)

15
E2

- *Pl. Valhubert, 57, rue Cuvier and 36, rue Geoffroy-Saint-Hilaire (V^e^)*
- *Métro Gare-d'Austerlitz, Monge or Jussieu.*
- *Grande Galerie de l'évolution : daily except Tue 10.00–18.00, Thur 10.00–22.00 Galleries of entomology, paleontology, comparative anatomy and mineralogy: daily except Tue 10.00–17.00; Menagerie: daily 10.00–17.00; Jardin des plantes: daily sunrise–sunset • Tel. 01 40 79 30 00*

In the 18th c, the royal medicinal herb garden of the 17th c., was transformed into an important centre of scientific study by the Comte de Buffon and another 18th c. naturalist, Daubenton. Buffon bought the newly built Hôtel de Magny in which he lived and erected the belvedere. The ménagerie was set up during the Revolution. Further buildings were constructed to house the greenhouses and galleries of the Muséum national d'histoire naturelle.

The galleries The gallery of mineralogy has a collection of over 250,000 specimens, many of them rare: precious stones, gems, stone objets d'art which used belong to Louis XIV, giant crystals, ore and meteorites. The galleries of palaeobotany and palaeontolgy have large collections of vegetable and animal fossils.

La Grande Galerie de l'évolution (gallery of evolution), recently renovated, uses impressive stage settings to illustrate the evolution of the species.

The garden The jardin des Plantes (botanical garden) is about 28 ha (69 acres) in area and it also includes a 17th c. maze, a tropical greenhouse, a cactus greenhouse, alpine garden and animal houses with reptiles, wild animals, monkeys, bears and birds.

76 Jeu de paume (Galerie nationale du)

19
D3

- *Jardin des Tuileries, pl. de la Concorde (Ier) • Métro Concorde*
- *For exhibitions Wed–Fri 12.00–19.00, Sat–Sun 10.00–19.00, Tue 12.00–21.30 • Tel. 01 47 03 12 50.*

The Jeu de paume (tennis court) was built in 1861 as a pair to the Orangerie, built eight years earlier, because Napoleon III wanted the two facades on the Place de la Concorde to be symmetrical. It catered for the rich amateurs of royal tennis (known in English as 'real' tennis, from 'réal', as opposed to lawn tennis). From 1950 to 1986 the building housed the Musée de l'Impressionisme, now at the Musée d'Orsay. It is now used for exhibitions of contemporary art.

❶ ***Jardin des Plantes.*** *The large aviary.*
❷ *Grande Galerie de l'évolution. Animals of the savannah (detail).*
❸ ***Galerie nationale du Jeu de paume.*** *Staircase inside.*
❹ *View from the Tuileries gardens.*

1

2

3

4

77

Justice (Palais de, Conciergerie and Sainte-Chapelle) 24 B1

- *1, quai de l'Horloge and 4, bd du Palais (Ier)*
- *Métro Cité*
- *Conciergerie: daily 10.00–17.00* • *Tel. 01 53 73 78 50*
- *Sainte-Chapelle: daily 10.00–16.30 (9.30-18.00 in summer)*
- *Tel. 01 53 73 78 51*

The Palais de l'île de la Cité has played a key role in France's political history since the Middle Ages as a royal residence, seat of government and the centre of financial and judiciary institutions, .

It has been gradually damaged and altered over the years by a series of fires and reconstructions.

The Sainte-Chapelle

The Sainte-Chapelle, a masterpiece of Gothic art and one of its oldest examples, is dominated by its cedar wood spire, erected between 1853 and 1855. It was built by Saint Louis between 1241 and 1248 as a shrine for the relics of the passion of Christ: the Crown of Thorns and a fragment of the True Cross which had been discovered in Jerusalem in the 4th c. and been in the possession of the Emperor of Constantinople since then. The relics cost 135,000 livres and the chapel 40,000. The monument consists of a lower chapel for the servants and an upper chapel for the royal entourage and the shrine. The upper chapel is like a magnificent stained glass window framed in stone. Two-thirds of these superb windows are original.

The Conciergerie

Its name comes from the 'concierge', the seigneur (lord) who looked after the king's household. The conciergerie also includes other medieval buildings: the Tour Bonbec (on the right of the facade), which might date back to Saint-Louis, the Tour d'Argent (in the centre) and Tour César(on the left), the vast Gothic Salle des Gens d'Armes (Hall of the men-at-arms), and the Guardroom, built during the reign of Philippe le Bel (1285-1314).The Tour de l'Horloge (on the far left) was built during the reign of Jean II le Bon (1350–64). During the Terror (1793–94) the Conciergerie housed the Revolutionary Tribunal and served as prison to many prisoners including the queen Marie-Antoinette.

Le palais de Justice

In 1798 it housed several tribunals and became known as the Palais de Justice. Its present appearance dates from restoration work carried out in the middle of the 19th c.

1 ***Palais de Justice.***
2 ***Conciergerie.*** *Facade overlooking the Quai de l'Horloge.*
3 ***Sainte-Chapelle.***
4 *Stained glass windows.*

78 *Lambert* (Hôtel)

25 **C2**

- *2, rue Saint-Louis-en-l'Île and 1, quai d'Anjou (IVe)*
- *Métro Sully-Morland*
- *Ext*

This luxurious *hôtel* was built at the far end of the Île de la cité by the young Le Vau, future architect to Louis XIV, for the king's treasurer and adviser Lambert. He died in 1644, only a few months after moving in to the building, and his brother inherited it. The latter asked the painters Le Sueur, Perrier and Le Brun to create its beautiful interior decoration. The two long superimposed galleries whose facade can be seen from the Quai d'Anjou are reminiscent of those in royal palaces. They were used for displaying collections of books and paintings.

79 *Lamoignon* (Hôtel, called d'Angoulême-Lamoignon)

25 **C1**

- *24, rue Pavée and 25, rue des Francs-Bourgeois (IVe)*
- *Métro Saint-Paul* • *Bibliothèque historique de la Ville de Paris: daily except Sun and public hols 9.30–18.00* • *Tel. 01 44 59 29 40*

This *hôtel* was the first of its kind architecturally, with its facade decorated with tall pilasters running up the full height of the building crowned with Corinthian capitals of acanthus leaves. It was built in 1584 for Henry II's daughter, Diane de France, duchesse d'Angoulême.

In the second half of the 17th c. the mansion was let to Lamoignon, first president of the Paris Parliament, and subsequently bought by his son. Since 1969 it has contained the valuable collections of the historical library of the city of Paris. The painted ceiling of the reading room dates from the 16th c.

The *corps de logis* is situated between a courtyard, facing the rue Pavée, and a garden. It is probably the first example of the Colossal order in Paris (that is, only one order for the whole height of the facade, instead of two superimposed as was customary). The impression of verticality is further emphasised by the insertion of tall dormer windows in the roof, topped with triangular pediments. The building is flanked by two square pavilions with curvilinear pediments decorated with carved deer and Diane's emblems.

The apartments are decorated with sumptuous gilded leather curtains and Flemish tapestries. They were laid out around a monumental staircase which no longer exists. Magnificent painted beams were discovered on the ground floor. They were decorated with Diane's monograms and hunting motifs on golden, red, yellow and blue cartouches.

1 ***Hôtel Lambert.***
2 ***Hôtel Lamoignon.*** *Turret.*
3 *Bibliothèque historique de la Ville de Paris. Reading room.*

1

2

3

PARKS, GARDENS, SQUARES AND CEMETERIES

With the coming of the first fine weather, Parisians go in search of nature, fresh air and greenery, taking advantage of the lunch break or the weekend to invade the 400 or so green spaces in the capital. The cemeteries and their shady avenues are also places for wandering, tinged with a certain melancholy, for everyone who likes to escape from the hustle and bustle of the great city.

The Lac Inférieur in the Bois de Boulogne.

Left: the Parc floral de Paris, in the Bois de Vincennes.

The Allée Marcel-Proust in the Champs-Élysées.

What room for greenery?

With its two woods, the Bois de Boulogne and the Bois de Vincennes, the esplanade at the Invalides, some 20 parks, 24 squares and 300 gardens, and innumerable tree-lined promenades, avenues, courtyards, arches, malls, and the vineyard in Montmartre, Paris has a total of 2,000 ha (nearly 5,000 acres) of green open spaces. But if the two woods at the edges of the city are omitted, there are only 500 ha (1,200 acres), less than 6 % of the area of the city. Although the largest park, the Parc de la Villette, covers 35 ha (86 acres), the majority of gardens and squares are less than 5 ha (12 acres).

The Square Louvois and its fountain.

Below left: The Square de la Butte du Chapeau-Rouge.

Below: The Square du Vert-Galant.

To name just a few of these at random, the squares of La Butte du Chapeau-Rouge (XIXe), Louvois (IIe), Jean-XXIII (IVe), Claude-Nicolas-Ledoux (XIVe), Vert-Galant (Ier), are among the tiny parks and gardens which are always delicious havens of peace and pleasant meeting places.

For princes and the people

The oldest public gardens are the Tuileries (Ier) and the Jardin des Plantes (V^e^), which were both 16th-c. royal physic gardens where herbs were grown. In the 17th c. the gardens of the Palais

Top left: The Tuileries gardens.

Top: the Luxembourg gardens. The students from the Latin quarter are its faithful regulars.

Above: The Parc des Buttes-Chaumont.

du Luxembourg (VIe) were added and quickly became open to the public. The oldest park, which is now in the Bois de Boulogne, was laid out in 1720, round the little château of Bagatelle, built for the Maréchale d'Estrées. In the 19th c. the Emperor Napoleon III, who had a particular wish to protect workmen from the nefarious influence of cabarets and other places of damnation, put in hand the laying out of the first squares and many green spaces, including the parks of Montsouris (XIVe), Buttes-Chaumont (XIXe), Ranelagh gardens (XVIe) and the Bois de Boulogne and the Bois de Vincennes. At the end of the 19th c. the west of Paris welcomed the Jardin des Serres d'Auteuil (with its remarkable tropical greenhouse), which today is the tree nursery of the Ville de

Above: Aerial view of the Champ-de-Mars from the Eiffel Tower.

Left: A greenhouse in the Parc André-Citroën.

Below: The Ranelagh gardens.

A panoramic view of Paris from the Parc de Belleville.

Paris. Between 1900 and 1920, the parade ground of the Champ-de-Mars (VIIe), used by the École militaire, was transformed into an enormous park. The capital has acquired 126 more green spaces since 1977, covering an area of 103 ha (250 acres): the parks of Bercy (XIIe), Georges-Brassens and André-Citroën (XVe), La Villette (XIXe), Belleville (XXe), the gardens of Les Halles (Ier), the Jardin Atlantique on the slab hiding the railway tracks of the Gare Montparnasse (XVe), the greenery flowing over the former tracks of the Métro, and so on.

Band stand in the Luxembourg gardens.

The relaxing shady avenues of the Parc Monceau.

French or English style

With their very formalised structure, large regular flower beds with plants arranged in staggered rows, terraces and fountains, all arranged symmetrically on a single level, the 17th- and 18th-c. gardens of the Luxembourg (VIe), the Tuileries (Ier) and the Palais-Royal (Ier) are all three typical examples of the French style of garden. Many statues, sometimes of remarkable quality, are integrated with the planting. The Parc Monceau (VIIIe), redesigned during the Second Empire, is by contrast an excellent example of an English garden, in which symmetry is avoided in order to give the illusion of untamed nature. The arrangement of its lawns, streams and clumps of trees exploits the uneven landscape. Here and there, gaps in the planting reveal beautiful views. Some, like the Luxembourg gardens, have extra features such as a band stand and a marionette theatre.

Some remarkable trees

Some of the green spaces in the capital have particularly fine trees. The Square René-Viviani (V^e) has the oldest tree in Paris, an acacia, brought from America by the botanist Robin and planted in 1601. The Jardin des Plantes (V^e) boasts an acacia of 1636, a Cretan Maple of 1702, a pistachio tree from earlier than 1716, a

Right: The cimetière de Montmartre is a garden-cemetery, like the other great cemeteries in Paris.

Below: The Passy cemetery with the Eiffel Tower in the distance.

Right: The cemetery at Montparnasse is a haven of peace much appreciated by the residents of the area.

Sophora Japonica and a Corsican Pine of 1747, and a horse chestnut of 1785. The largest tree in the city is to be found in the Parc Monceau (VIIIe), an Oriental Plane with a trunk 7.05 m (23 feet) in circumference.

In the Pré Catelan (Bois de Boulogne) is the beech with the widest spread of branches (546 m²; 650 sq yards), while the tallest tree is in the Avenue Foch (XVIe), a hybrid plane 42 m (138 feet) high.

Last resting place

Trees are an important characteristic of cemeteries in Paris as well, albeit less than the mineral and geological variety of the funeral monuments. In 1792, 1804 and 1824, the cemeteries of the north or Montmartre (XVIIIe), east or Père-Lachaise (XXe), and south or Montparnasse (XIVe) replaced the old necropolises whose

The cemetery of Père-Lachaise covers 44 ha (109 acres) and has more than 5,000 trees.

bones were removed to the catacombs. In 1860 11 more cemeteries were added on land recently annexed by Paris. These included Passy (XVIe) and Charonne (XXe). Until about 1830 the position of the tombs of well-to-do families was marked by stones copied from antiquity: steles, columns, obelisks and imitations of sarcophaguses. The fashion soon arose of chapels inspired by Greek and Roman models or by Gothic churches. The cracked walls and the broken doors of these old chapels contribute much to the melancholy atmosphere of these places.

The beginning of the 20th c. was marked by the appearance of tombstones made of black, grey and pink granite.

Jim Morrison's tomb in the cemetery of Père-Lachaise.

The bust of Manet on his tomb in the cemetery of Passy.

Many famous famous people are buried in Paris.
At Père-Lachaise (XXe), the rock singer Jim Morrison of The Doors has stolen the thunder of Chopin, Balzac and Champollion, who deciphered the Rosetta Stone.
In the cemetery of Montmartre (XVIIIe) Degas, Offenbach, Zola lie beside Stendhal and Sacha Guitry. In Montparnasse (XIVe), are Jean-Paul Sartre and Simone de Beauvoir, Saint-Saëns, Brancusi, Baudelaire (in the Aupick family tomb), recently joined by the singer Serge Gainsbourg. Passy (XVIe) is best known for the tombs of Manet and Debussy.

The tomb of Sacha Guitry in the cemetery of Montmartre.

80 *Lauzun* (Hôtel)

25 C2

- *17, quai d'Anjou (IVe)*
- *Métro Sully-Morland*
- *Ext* • *Tel. 01 44 61 21 69 or 01 44 61 21 70*

The Duc de Lauzun was a favourite of Louis XIV until his imprisonment in the Bastille, and the lover and later secret husband of the Grande Mademoiselle, a cousin of the king. Although the hôtel is named after him he only lived there between 1682 and 1685. The house was built in 1656, it is said by the architect Le Vau who did much work on the Île Saint-Louis. The sober facade conceals a luxuriously sumptuous interior, decorated by famous artists including the painter Le Brun. The poet Baudelaire lived there between 1843 and 1845 and wrote part of *Les Fleurs du Mal* in a room in this house. Other famous names such as Gautier, Musset and their friends of the Club des Haschischins gathered here.

81 *Légion d'honneur* (Palais and Musée de la)

19 D4

- *2, rue de Bellechasse (VIIe)*
- *Métro Solférino* • *RER Quai-d'Orsay*
- *Museum: daily except Mon 14.00–17.00* • *Tel. 01 40 62 84 00*

The Légion d'honneur was founded in 1802 by Napoleon Bonaparte as a reward for services rendered, military and civil. In 1804 it moved to the Hôtel de Salm, built at the end of the 18th c. for the German Prince de Salm-Kyrbourg. The museum covers the history of the Légion d'Honneur as well as the orders created by the kings of France (the orders of Saint-Michel, Saint-Louis and the Saint-Esprit), and orders from other countries. There are also weapons, uniforms, decorations, paintings and manuscripts.

82 *Libéral-Bruant* (Hôtel, and Musée Bricard, Musée de la Serrure)

21 D4

- *1, rue de la Perle (IIIe)* • *Métro Saint-Paul or Chemin-Vert*
- *Museum: Mon 14.00–17.00; Tue–Fri 10.00–12.00, 14.00–17.00; closed Sat, Sun, public hols and the month of Aug* • *Tel. 01 42 77 79 62*

This modestly sized mansion with a sober facade was built at the end of the 17th c. for his own use by Bruant, the architect of the Hôtel des Invalides. He never lived in it but let it. Now the property of the Société Bricard, it contains the Musée de la Serrure (locks) which opened in 1976. The courtyard houses an old locksmith's workshop.

1 ***Hôtel Lauzun.***
2 *Detail of a down pipe..*
3 ***Palais de la Légion d'honneur.***
4 ***Hôtel Libéral-Bruant.***
5 *Musée de la Serrure: Gate lock dating from the 19th c.*

2

3

5

83 Louvre (Palais, Musée, Pyramide du)

20
A4

- *34-36, quai du Louvre (Ier); main entrance through the Pyramid*
- *Métro Palais-Royal-Musée du Louvre.*
- *Musée : daily except Tue, 1 and 11 Nov, 25 Dec: 9.00–18.00, evenings Mon (partial visit) and Wed (complete) until 21.45*
- *Conference visits: daily. Workshops for adults, children and adolescents; tel. 01 40 20 52 63.*
- *Auditorium: concerts, conferences, symposiums, films: tel. 01 40 20 51 86 9.00–19.00 except Sat–Sun; recorded announcement: tel. 01 40 20 52 99.*
- *Galerie Carrousel du Louvre : daily 7.30-23.00; tel. 01 43 16 47 47*

This building which is now the largest in Paris was built on the site of fortress erected by Philippe-Auguste in 1190.

The Palace

In the second half of the 14th c. Charles V abandoned the Palais de la cité and converted the fortress into a comfortable residence. Having razed part of it to the ground (the foundations are still visible) Francis I in 1546 asked the architect Lescot to build a palace for him. Situated on the west of the square tower, the new building was in the Italian Renaissance style.

The 'Grand Design'

In 1594, Henry IV further enlarged the existing building. On the side of the Seine, he added a first floor to the Petite galerie. or Gallery of Apollo, and completed the Grande galerie which led directly from the royal residence to the Palais des Tuileries (built in 1564 to the west of the Louvre). Henry IV also planned to make the Cour Carrée four times larger. But it was the Sun King who carried it out and who conceived the Grand Dessin (grand design) which would link the Tuileries and the Louvre with a series of buildings. His death put an end to the project.

The Cour Carrée (square courtyard) was completed in 1653, during the reign of Louis XIV, in the style developed by Lescot. Claude Perrault supervised the building of the outside facade and its superb colonnade.

The Grand Dessin (grand design) was eventually carried out during the 19th c. by Napoleon I and Napoleon III.

The Grand Louvre and the Pyramid

Work began again in 1981 with the Grand Louvre project whose purpose was to expand the museum, re-deploy its collections and provide a new reception area, the Hall Napoléon, covered by a spectacular glass pyramid 21.64 m (71 feet) high, designed by the architect I. M. Pei.

1 ***Palais et musée du Louvre.*** *The Cour Carrée (Lescot wing).*
2 *Detail from the facade facing the Pont du Carrousel.*
3 *Pyramids great and small. In the background, the Pavillon Richelieu.*

1

2

3

The museum The Musée du Louvre was founded in 1793, during the French Revolution, to house the royal art collections and works of art confiscated from the aristocracy and churches. These collections have grown substantially since then as a result of purchases, gifts, bequests and archeological excavations. The museum is divided into seven departments .

The Département des Antiquités orientales (Department of oriental antiquities) illustrates the ancient art and history of Palestine Syria, Mesopotamia (present day Iraq), Iran and the great Sumerian, Babylonian, Assyrian and Persian Empires. The reconstruction of part of the Assyrian palace of Khorsabad is spectacular and the collection of Islamic art is very impressive.

The Département des Antiquités égyptiennes (Department of Egyptian antiquities) will fascinate the visitor with its vast collections of statuettes, reliefs and artefacts, covering 3,000 years of the history and civilisation of the Pharaohs.

The Département des Antiquités grecques et romaines (Department of Greek and Roman antiquities) includes numerous masterpieces of Greek, Etruscan and Roman art such as the *Venus de Milo*, the *Winged Victory of Samothrace* and the treasure of Boscoreale.

The Département des Sculptures (Department of sculpture) has a magnificent collection of French sculptures, ranging from the Middle Ages to the mid-19th c., and German, Dutch and Italian works from the Middle Ages to the Renaissance.

The Département des Objets d'art (Department of Objets d'art) includes thousands of objects and items of furniture from antiquity to the mid-19th c.

The Département des Peintures (Department of Paintings) is extraordinarily rich in masterpieces of the European schools. It includes French works from the Middle Ages to the mid-19th c., as well as Italian Flemish and Dutch, Spanish, English and German works. The Italian collection is famous for its primitives and the paintings by Leonardo da Vinci, among them the *Mona Lisa.*

The Cabinet des Dessins (Drawing collection) has regular, temporary exhibitions when some of its 105,000 works are put on display.

❶ ***Palais et musée du Louvre.*** *The* Mona Lisa.
❷ *Detail from the Quai du Louvre facade.*
❸ *The Louvre from the Pont du Carrousel.*
❹ *The Cour Puget.*
❺ *The Pyramid entrance; the Pavillon Sully is in the background.*

2

4

5

84 Luxembourg (Palais and Jardin du)

24
A2

- *15, rue de Vaugirard (VIe) • Métro Odéon • RER Luxembourg*
- *Palais: first Sun in the month 10.30*
- *Tel. 01 44 61 21 69 or 01 44 61 21 70*
- *Garden: according to season, between 7.30/8.15 to between 16.30/21.30.*

Marie de Medici decided to leave the Louvre after the murder of her husband, Henry IV, in 1610. She bought the mansion of the Duc de Luxembourg (Petit Luxembourg) and built her new residence next to it. She asked Rubens to paint a series of 21 large paintings depicting her own story, from the time of her birth in 1573 to her reconciliation with her son Louis XIII in 1619. The paintings are now shown in the Louvre.

The queen also redesigned the garden which was later enlarged after the destruction of the convent of the Chartreux, during the Revolution. The artificial grotto which she built has become the Medici fountain.

Hot air balloons At the end of the 18th c., the park was used for experiments with hot air balloons. In 1785, a certain abbot Miollan gathered a crowd of Parisians to come and watch him fly his 'aerostat'. But tired of waiting for the balloon to take off, they destroyed it in anger. The balloon went up in flames and the abbot ran for his life.

The Palais du Luxembourg has housed the Senate since 1958. It overlooks one of the pleasantest and most popular parks in Paris, with a large pond where children (and grown-ups) come and sail their boats. The gardens are formally designed and full of statues. A rectangular pool is ornamented with the Medici fountain (1624).

85 Madeleine (Église de la)

19
D3

- *Pl. de la Madeleine (VIIIe) • Métro Madeleine*
- *Mon–Sat 7.00–19.00, Sun and public hols 7.00–13.30, 15.30–19.00*
- *Tel. 01 44 51 69 00.*

The construction of the church of Sainte-Marie-Madeleine was interrupted during the Revolution and resumed on the orders of Napoleon I, who modified Vignon's original plans. It was built in the form of a Greek temple, right in the heart of Paris, in homage to Napoleon and his *Grande Armée*.

After the fall of the Empire, the church was again dedicated to the Saint and inaugurated in 1842. The interior has been sumptuously decorated by great sculptors and painters of the time.

❶ ***Palais et jardin du Luxembourg.***
❷ *The Medici fountain.*
❸ ***Église de la Madeleine.***
❹ *Detail from the bronze door.*

1

2

3

4

86 Maison européenne de la photographie

• 5-7, rue de Fourcy (IVe) • Métro Saint-Paul or Pont-Marie. 25/**C1**
• Museum, library Wed–Sun 11.00–20.00 (free Wed 17.00–20.00)
• Tel. 01 44 78 75 00

The Hôtel Hénault de Cantobre, built at the beginning of the 18th c., now houses the Maison européenne de la photographie which opened in February 1996. It has a very large permanent collection and holds regular exhibitions of parts of it.

87 Marmottan *(musée)*

6/**C6**

• 2, rue Louis-Boilly (XVIe)
• Métro La Muette • RER La Muette
• Daily except Mon 10.00–17.30 • Tel. 01 42 24 07 02

In 1932 this 19th-c. *hôtel* and all its contents were bequeathed to the Institut de France by Paul Marmottan who collected furniture, objects and paintings dating from the First Empire. The bequest of the painter Claude Monet's son transformed the focus of the museum which now has a superb collection of Impressionist paintings.

88 Martyr juif inconnu *(mémorial du)*

25/**C1**

• 17, rue Geoffroy-l'Asnier (IVe) • Métro Saint-Paul or Pont-Marie
• Daily except Sat and Jewish feast days 10.00–13.00, 14.00–18.00, Fri until 17.00 • Tel. 01 42 77 44 72

Dedicated in October 1956, this memorial to the victims of the Holocaust is in the Centre du documentation juive contemporain (centre of contemporary Jewish documentation) which has archives, a photographic collection and a library. A flame of remembrance burns in a crypt. Exhibitions are held.

89 Médaille miraculeuse *(Chapelle de la)*

23/**D2**

• 140, rue du Bac (VIIe) • Métro Sèvres-Babylone
• Daily 7.45 (Sun 7.20)–13.00, 14.30–19.00; Tue 7.45–19.00
• Tel. 01 49 54 78 88

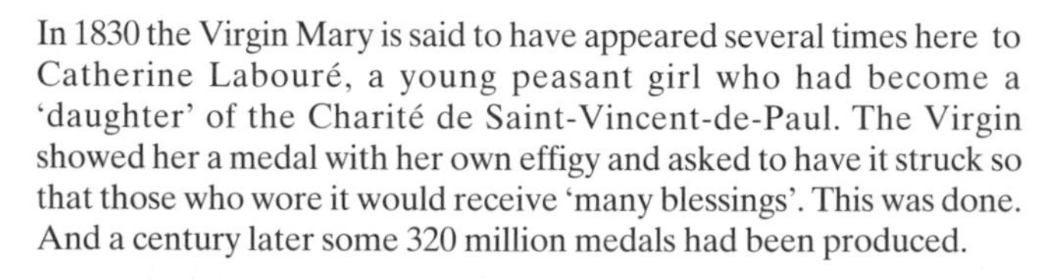

In 1830 the Virgin Mary is said to have appeared several times here to Catherine Labouré, a young peasant girl who had become a 'daughter' of the Charité de Saint-Vincent-de-Paul. The Virgin showed her a medal with her own effigy and asked to have it struck so that those who wore it would receive 'many blessings'. This was done. And a century later some 320 million medals had been produced.

❶ ***Maison européenne de la photographie.*** *Pierre et Gilles exhibition.*
❷ *Exhibition room.*
❸ ***Mémorial du martyr juif inconnu.***
❹ ***Chapelle de la médaille miraculeuse.***

1

2

3

4

MINÉRALOGIE (Musée de)

90 Minéralogie (Musée de)

24
A3

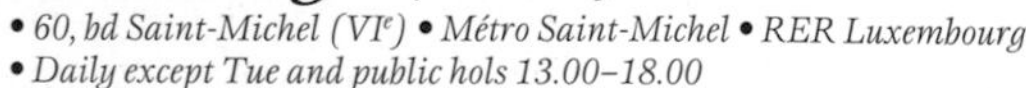

- *60, bd Saint-Michel (VIe) • Métro Saint-Michel • RER Luxembourg*
- *Daily except Tue and public hols 13.00–18.00*
- *Tel. 01 44 27 52 88*

The Hôtel Vendôme was built in the 18th c. and since 1815 it has been occupied by the École supérieure des mines (mining school), founded in 1783. It owns an amazing collection of 80,000 minerals and rocks from all over the world, of which only a small part is exhibited, and which includes some of the largest on the planet.

91 Monceau (Parc)

7
F4

- *Bd de Courcelles (XVIIe)*
- *Métro Monceau*
- *1 Oct–31 Mar 7.00–20.00; 1 Apr–30 Sept 7.00–22.00*

An Egyptian pyramid, a Dutch mill, a Tartar tent, a minaret, a Gothic ruin, a Roman temple, a Swiss farm, a pagoda, a fountain and a naumachia basin (artificial lake) were but a few of the follies built for the Duc de Chartres at the end of the 18th c. Distributed over 15 ha (37 acres) of parkland, these architectural follies created a garden of dreams and illusions. At the same time, a toll house was built by Ledoux on one side of the park. In 1861, the town planner Alphand was asked to redesign the park, now reduced by half by Baron Haussmann's building programme. He preserved several of the original follies including the elegant naumachia basin, bordered by columns with Corinthian capitals which, according to tradition, came from the royal funerary chapel which was built in Saint-Denis in 1575. Near the avenue Velázquez is an arcade which was once part of the old Hôtel de ville, destroyed in a fire in 1871.

92 Monnaies (Hôtel des, Musée des)

24
A1

- *11, quai de Conti (VIe) • Métro Pont-Neuf or Odéon • RER Saint-Michel*
- *Museum: daily except Mon and public hols 13.00–18.00 • Guided tour Sun 15.00 • Tel. 01 40 46 55 35 or 01 40 46 55 27*

The harmonious facade of the Hôtel des Monnaies, designed by the architect Antoine at the end of the 18th c., housed the workshops of the French Mint for two centuries. In 1973, they were moved to the Gironde. Now only coins in precious metal, medals and decorations are still minted here. This workshop can be visited by joining a guided tour. The museum illustrates the history of coins and medals in France.

1 ***Musée de Minéralogie.*** *Giant quartz crystals.*
2 ***Parc Monceau.*** *Naumachia.*
3 ***Hôtel des Monnaies.*** *Grand staircase.*
4 *Medal struck at the Hôtel des Monnaies.*

PRAETERITA · PRAESENTIA · FIRMANT · FUTURA · PARANT

93

Montparnasse (Tour)

23
D3

- *33, av. du Maine (XVᵉ)* • *Métro Montparnasse-Bienvenüe*
- *Daily 9.30–22.30*
- *Tel. 01 45 38 52 56*

The tour Montparnasse is the tallest building in France, 210 m (689 feet) high with 59 floors. The 56th floor and open air terrace at the top offer a magnificent panoramic view of Paris and its suburbs. Built between 1969 and 1973 by the architects Eugène Beaudoin, Urbain Cassan, Louis de Hayn de Marien and Jean Sabat, its foundations are sunk to a depth of 70 m (230 feet) below old quarries. The facades are coated in bronze aluminium and tinted glass. A central core of reinforced concrete contains the service elements of vertical communication: staircase, lifts and cables.

94

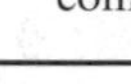

Montsouris (Parc)

15
D5

- *22-28, bd Jourdan (XIVᵉ)* • *Métro Porte-d'Orléans* • *RER Cité-Universitaire*
- *7.30 (Sat, Sun 9.00)–17.30 to 21.00 according to season*
- *Tel. 01 45 88 28 60*

In 1867 it was decided to turn a large area of wasteland to the south of Paris into a beautiful English style park designed by Alphand. Covering some 16 ha (39 acres), Montsouris is the third largest public park in Paris, after La Villette and the Parc des Buttes-Chaumont. On its opening day in 1878 the artificial lake completely emptied as a result of a structural error. The engineer in charge could not face life after this disaster and committed suicide.

95

Moreau (Musée Gustave-)

20
A1

- *14, rue de La Rochefoucauld (IXᵉ)* • *Métro Trinité*
- *Thur–Sun 10.00–12.45, 14.00–17.15; Mon and Wed 11.00–17.15; closed Tue; Lecture about the painter and his work first and third Wed in the month* • *Tel. 01 48 74 38 50*

The symbolist painter Gustave Moreau inherited a beautiful mansion from his parents. He altered it to display his work and left it to the state when he died, with its contents of 1,000 oil paintings and watercolours and 7,000 drawings. He is known for his mythological and allegorical works, characterised by a very personal symbolism. One of Moreau's most famous paintings, *Jupiter et Sémélé*, is exhibited here.

1 ***Tour Montparnasse.***
2 ***Parc Montsouris.***
3 *Overall view of the park from the lake.*
4 ***Musée Gustave-Moreau.***

2

3

4

96 *Mosquée de Paris*

25 **C3**

• *1, pl. du Puits-de-l'Ermite (Ve) • Métro Jussieu ou Monge • Daily except Fri 9.00–12.00 and 14.00–18.00; tel. 01 45 35 97 33 • Restaurant and tea room • Tel. 01 43 31 38 20 • Hammam: women: Mon, Wed, Sat 10.00–21.00; men: Tue 14.00–21.00, Sun 10.00–21.00 • Tel. 01 43 31 18 14*

Strolling in the Jardin des Plantes quarter, an unexpected sight suddenly appears: a minaret 33 m (108 feet) high. This monument belongs to the Paris mosque, the first Islamic place of worship in the capital. It was built between 1922 and 1926 in the Hispano-Moorish style. The complex consists of several sections: educational (where the Arabic language and Arab-Muslim culture are taught), religious and commercial.

97 *Nation (Place de la)*

16 **C2**

• *(XIe, XIIe)*
• *Métro Nation • RER Nation*

The largest fun fair in France used to be held here during the months of April and May. In 1964, this *foire du Trône* moved to Vincennes, on the lawns at Reuilly, but it still bears the former name of the square, which it was called because of the throne built here in 1660 for Louis XIV and his young bride, Marie-Thérèse on the occasion of their arrival in Paris. In 1794, during the French Revolution, the guillotine was set up here and in the space of six weeks a total of 1,306 people were beheaded. It only became the place de la Nation on 14 July 1880.

98 *Nissim-de-Camondo (Musée)*

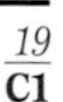

19 **C1**

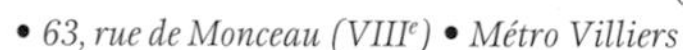

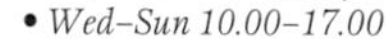

• *63, rue de Monceau (VIIIe) • Métro Villiers*
• *Wed–Sun 10.00–17.00*
• *Tel. 01 53 89 06 40*

This *hôtel* was built at the beginning of the 20th c., modelled on the Petit Trianon of Versailles. In 1935, Comte Moïse de Camondo bequeathed the house and the 18th c. collections it contained to the Union centrale des arts décoratifs on condition that the museum would carry the names of his father and of his son, Nissim, who was killed in aerial combat in 1917. Tragedy hit the family again in the Second World War when his daughter and her children were sent to Auschwitz.

1 ***Mosquée de Paris.*** *The minaret.*
2 ***Place de la Nation.*** Le Triomphe de la République.
3 *Overall view of the Place de la Nation.*
4 ***Musée Nissim-de-Camondo.*** *Salon bleu.*
5 *Part of a 'Buffon' porcelain dinner service.*

2

3

4

5

SQUARES, STATUES AND FOUNTAINS

Tourist or native Parisian, no-one could doubt that its squares or places *are among the capital's greatest charms. There are hundreds of them, large and small, and amazingly varied. Every one has its own personality or 'signature'. They are often ornamented with a fountain and one or more statues, which also provide meeting points. All over the city, from one* quartier *to another, these works reel off the story of Parisian sculpture.*

The charm of the Place Dauphine in autumn. Its triangular shape is unique in Paris.

The garden of the Place des Vosges. Its inhabitants never tire of it.

The Place des Victoires: a casket of stone to the glory of Louis XIV.

To the glory of the king

With the Place des Vosges (IIIe) and the Place Dauphine (Ier) at the beginning of the 17th c., Henri IV was the first monarch to give Paris *places* arranged round a royal statue. At the end of the century this example was followed by Louis XIV, who designed the Place des Victoires (Ier-IIe) and the

The Place de la République is dominated by this statue of the Republic triumphant. It was unveiled on 14 July 1883.

The Place du Tertre and its artists. Anyone can leave here with their portrait.

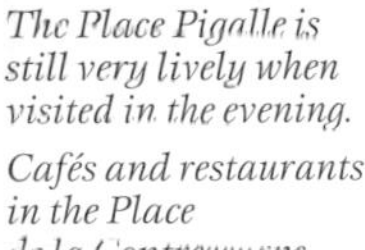

The Place Pigalle is still very lively when visited in the evening.

Cafés and restaurants in the Place de la Contrescarpe and the Rue Mouffetard are further poles of attraction.

Behind the church of Saint-Germain-des-Prés, the little Place Furstemberg is one of the most charming in Paris.

The Place du Marché-Sainte-Catherine, a favourite rendezvous for Parisians who love their city.

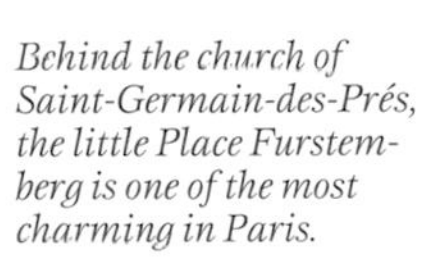

Place Vendôme (Ier). In the second part of the 18th c. Louis XV, continued the tradition with the Place de la Concorde (VIIIe).

These superb *places* owe their distinction to the fine architects and builders of the time; they are among the finest sights of the capital. The original statues, symbols of the Ancien Régime, were destroyed during in the French Revolution.

But many prefer the smaller *places* to these majestic creations.

The charms of Montmartre

Of all the little *places* in the city, it is the Place du Tertre (XVIIIe) in Montmartre, surrounded by smart old houses, which tourists

The market in the Place d'Aligre. Here one can find the cheapest fruit and vegetables in Paris.

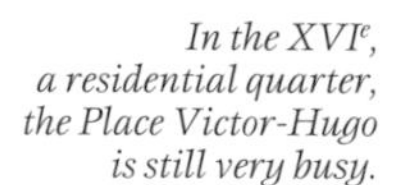

In the XVIe, a residential quarter, the Place Victor-Hugo is still very busy.

find the most delightful. There is the feeling that here the atmosphere of Paris of old can be recaptured.

After wandering across the Butte, one can make a stop at a café or restaurant where the tables and chairs are outside in fine weather. Portraitists work there, distant descendants of the Bohemian artists like Valadon and Utrillo, who made the quarter famous.

Or one can buy some of the most Parisian works, such as *poulbots*, reproductions of the popular paintings of the children of the city done by Francisque Poulbot, who died in 1946. Come the evening, tourists parade the steep winding streets to discover the suggestive Paris of the Place Pigalle (IXe), surrounded by strip-tease cabarets.

The Rond-point of the Champs-Élysées, at the centre of one of the most famous views in Paris.

Some distance away, wiser visitors will take part like the Parisians themselves in the café life of the Place de la Contrescarpe (Ve), a couple of steps from the Rue Mouffetard, very lively, or they will invade the bars of the Place Saint-Michel (Ve-VIe), or of the Place du Marché-Sainte-Catherine (IVe).

Quieter areas

Even in the busiest *quartiers* of Paris, there are peaceful little places whose trees provide welcome shade on fine days, and whose benches are a welcome resting place. Sometimes a modest café allows one to enjoy a peaceful drink while relaxing. In the V^{e}, on the Place de la Sorbonne, walkers are side-by-side with the students of the university. The pleasure in the VIe is to linger in the pretty Place Furstemberg, situated on the site of the former stableyard of the abbey of Saint-Germain and planted with paulownias. In the XIIIe, the place to stop is the Place Paul-Verlaine, where there is a well drilled 584.50 m (over 1,900 feet) deep to water which is 28 °C (82.4 °F) which has supplied the

The statue of Henri IV, the Vert-Galant, *on the Pont-Neuf.*

Below: The gilded statue of the triumphant Joan of Arc in the Place des Pyramides.

Above: The statue of the city of Strasbourg in the Place de la Concorde.

municipal swimming pool since 1924. In the XVIᵉ people find repose not far from the delightful Place de Passy, in the Place du Père-Marcellin-Champagnat with its Wallace fountain, benches and wall painted with windows. In the XVIIIᵉ, they cross the Place des Abbesses, situated halfway between the Butte Montmartre and Pigalle, near a very busy street. In the XXᵉ, recently rebuilt, people enjoy the Place Saint-Blaise, centre of the ancient village of Charonne, and the Place des Grès, nearby.

Rue Saint-Antoine, Beaumarchais with a wicked smile.

In front of the Hôtel de Ville, the equestrian statue of Étienne Marcel, a great figure in Parisian history in the 14th c.

The equestrian statue of Marshal Foch dominates the Place du Trocadéro.

The Lion de Belfort, *a replica of Bartholdi's work enthroned in the Place Denfert-Rochereau.*

Changing moods or permanent ones

There are days when *places* which are normally a little dull come to life with markets. Such a one is the Place d'Aligre, in the

XIIe, the Place d'Auteuil in the XVIe, or the Place de la Réunion, in the XXe. By contrast, others experience a continuous flow of traffic or the noisy comings and goings of much-frequented brasseries: such are the Place de Catalogne in the XIVe, dominated by the recent buildings of the architect Ricardo Boffil, the Rond-point des Champs-Élysées, in the VIIIe, decorated with frequently renewed plants, and the Place Victor-Hugo in the XVIe.

An inordinate love of statuary

Until the Revolution, statues were essentially limited to representations of the Virgin, adorning the facades of houses from the Middle Ages, and a few rare sculptures to the memory or glory of kings, the first being the effigy of Henri IV on the Pont Neuf (VIe) which was erected there in 1634. For the first three-quarters of the 19th c. there was hardly any street statuary. Some of the works destroyed in the French Revolution were replaced or re-erected, notably the eight monuments symbolising the great cities of France in the Place de la Concorde (VIIIe): Nantes, Bordeaux, Lyon, Marseille, Brest, Rouen, Lille and Strasbourg.

But the Third Republic made up for the delay. In the course of 44 years, 124 works were added to the heritage in 1870. Among the creations were statues of Joan of Arc in the Place des Pyramides (Ier), Emperor Charlemagne, who decorates the Place du parvis Notre-Dame (IVe), the revolutionary Danton at the Carrefour de l'Odéon (VIe), and the one in the Place de la République (XXe-X^{e}-XIe) which gives it its name. They also include the sculptured group in memory of the town planner Alphand erected in the Avenue Foch (XVIe), the equestrian statue of King Edward VII commanding the *place* of the same name (IXe), the

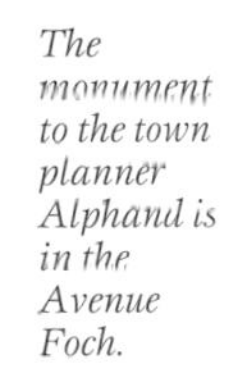

The monument to the town planner Alphand is in the Avenue Foch.

statue of Balzac in the Place Guillaumin (VIIIe), of Beaumarchais, Rue Saint-Antoine (IVe), and the replica of the *Lion de Belfort* carved by Bartholdi and set up in the Place Denfert-Rochereau (XIVe).

This great creative impetus then slowed down . In 1928, the Pont de la Tournelle (IVe-V^{e}) received a representation of Sainte Geneviève, the patron saint of Paris. In 1931, the Place du Trocadéro (XVIe) was enhanced by an effigy of Maréchal Foch. Some more recent works from the third quarter of the 20th c. are exhibited in the open air at the Musée de Sculpture, Quai Saint-Bernard (V^{e}), which opened in

The fountain of the Fellah, Rue de Sèvres, recalls the First Empire's taste for ancient Egypt.

The drinking fountains put up in the 19th c. were a decorative and effective utility.

Tribute to the Russian musician, the Igor-Sravinsky fountain was created by Jean Tinguely and Niki de Saint-Phalle.

The fountain of the Lions in the Place Félix-Éboué.

1980. In the Place de l'Alma (XVIe) is the *Flamme de la Liberté,* (Flame of Liberty), an exact copy of that which the *Statue of Liberty lighting the World* in New York is waving, which was recently presented to France by donors from all over the world on the occasion of the centenary of the American paper the *International Herald Tribune.*

The art of Jean Goujon expresses itself perfectly in the Fontaine des Innocents.

Ornamental fountains

The Canyoneau-strate in the Rue de Bercy, sculpture and fountain at the same time. It was created in 1986 by Gérard Singer.

Since the end of the 12th c., when the water supply for Paris came from wells and rivers, it has been supplemented by fountains which combined utility with decoration, like the Fountain of the Innocents (Square des Innocents in the Ier), carved by Jean Goujon in the 16th c., the only one which survives from the time of the Renaissance. The 17th and 18th centuries saw the appearance of many more, including the fountains of Maubuée and Vertbois, Rue Saint-Martin (IIIe et IVe). Napoleon I built some more from 1806: the Egyptian fountains of the Fellah, Rue de Sèvres (VIIe), of the Palmier, Place du Châtelet (I^e and IVe) and of Mars, Rue Saint-Dominique (VIIe). After 1848, about 2,000 cast iron drinking fountains shaped like milestones were installed to supplement the more decorative ones, like the fountains of Saint-Michel, Place Saint-Michel (VIe), the Lions, now in the Place Félix-Éboué (XIIe), and the Observatoire, Avenue de l'Observatoire (VIe), which was erected during the Second Empire (1852–70).

The 20th c. has carried on this tradition, in particular with the fountains of the Porte de Saint-Cloud (XVIe), the Igor-Stravinsky fountain, with kinetic sculptures by Tinguely and Niki de Saint-Phalle, Place Igor-Stravinsky (IVe), and the Canyoneaustrate, 89, Rue de Bercy (XIIe).

99

Notre-Dame *(Cathédrale and Musée)*

24
B2

- *Pl. du Parvis-Notre-Dame* • *Métro Cité.*
- *Cathedral: daily 8.00–18.45; closed Sat 12.30–14.00* • *Tel. 01 42 34 56 10*
- *Museum: 10, rue du Cloître-Notre-Dame (IVe) (entrance fee) Wed, Sat, Sun 14.00–18.00*
- *Treasury: (entrance fee) 9.30-12.00, 12.30-17.30, except Sun and religious holidays*

The place still seems haunted by Esmeralda, the fiery gypsy, her goat and Quasimodo, the hunchback bell ringer, the hero of one of Victor Hugo's most famous novels, *Notre-Dame de Paris*.

The Cathedral

In about 1160, the bishop of Paris, Maurice de Sully, decided to build a cathedral worthy of the capital of the kingdom on the site of the basilica of the île de la Cité. The new cathedral, built in the Early Gothic style, 127. 50m long and 40m wide including the aisles, was conceived by an unknown architect and it took almost 100 years to build.

The chancel, surrounded by a double ambulatory, opens out onto a non-projecting transept which is aligned both with the chancel and the nave. The latter consisted of four levels with arcades, galleries, tall windows and rose windows. These, removed in the 13th c., were reinstated at the crossing of the transept in the 19th c. The harmonious facade is topped by two towers offering magnificent views of Paris.

The building was further enriched by the addition of two facades to the transept, decorated with superb rose windows. Badly damaged during the Revolution, the cathedral was restored in 1845 by the architects Viollet-le-Duc and Lassus.

France's parish church

The Cathedral of Notre-Dame is among the most beautiful in France, and it deserves to be called the parish church of French history. Kings and queens were married here, including Marguerite of Valois and Henry of Navarre – who, being Protestant, had to remain outside. Emperor Napoleon I was crowned here on 2 December 1804, and the liberation of Paris was celebrated here in the presence of General de Gaulle on 26 August 1944.

The museum

This has engravings, drawings and paintings illustrating the history of the cathedral.

The treasury

This contains beautiful church plate in gold and silver as well as reliquaries and manuscripts..

1 ***Notre-Dame.*** *The apse and the Pont de la Tournelle.*
2 *Facade of the Cathedral.*
3 *Gargoyle.*
4 *The great rose window.*

1

2

3

4

100 Notre-Dame-de-Lorette (Église)

20
A2

- *18 bis, rue de Châteaudun (IXe) • Métro Notre-Dame-de-Lorette*
- *Daily 8.00–19.00 • Free guided visit on the fourth Sun in the month: 16.30*
- *Tel. 01 48 78 92 72*

Between 1823 and 1836 the city of Paris built the church of Notre-Dame-de-Lorette as a parish church for this new *quartier* which was then in the full throes of development. Designed by the architect Lebas and built in the style of a Roman basilica, it has beautiful sculptures and many paintings.

101 Notre-Dame-des-Blancs-Manteaux (Église)

21
C4

- *12, rue des Blancs-Manteaux (IVe) • Métro Rambuteau*
- *Mon–Sat 10.00–12.45, 16.00–19.00; Sun 16.00–19.00 Concerts*
- *Tel. 01 42 72 09 37*

The convent, founded in 1258, owes its name to the white habit worn by the mendicant brothers, also known as 'Servites de la Vierge'. The presbytery, the only surviving part of the convent, and the church were rebuilt in the 17th c. by Benedictine monks. The church has a magnificent wooden pulpit dating from the 18th c.

In 1863, the facade was concealed behind the classical facade of the church of the Barnabites (18th c.) which was attached to it.

102 Observatoire de Paris

24
A4

- *61, av. de l'Observatoire (XIVe) • Métro Port-Royal*
- *1st Sat of the month 16.30*
- *Tel. recorded announcement 01 40 51 21 74*

'These gentlemen from the Academy have stolen a large part of my lands', Louis XIV exclaimed when astronomers accurately established the longitudes of his kingdom; until then the boundaries had been very exaggerated. France shrank considerably on the maps.

These calculations had become possible as a result of the constructionof the Paris Observatory in 1667. It was designed by Claude Perrault, the architect of the colonnade of the Louvre. The oldest observatory in the world, it has seen many important discoveries throughout the ages. It also houses the headquarters of the Bureau international de l'heure and the oldest talking clock in the world, made in 1933.

Although less used than it was in the past because of the poor air quality of the Paris sky, the Observatory remains an important centre of research.

1 ***Notre-Dame-de-Lorette.*** *The nave.*
2 ***Notre-Dame-des-Blancs-Manteaux.*** *The pulpit.*
3 *Detail of the pulpit.*
4 ***Observatoire de Paris.***

103 Odéon *(Théâtre national de l')*

24 A2

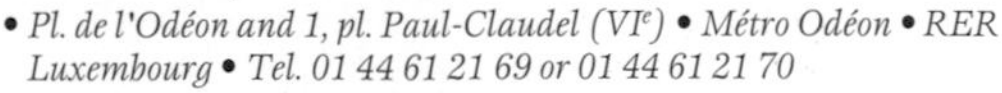

- *Pl. de l'Odéon and 1, pl. Paul-Claudel (VIe) • Métro Odéon • RER Luxembourg • Tel. 01 44 61 21 69 or 01 44 61 21 70*
- *Events • Tel. 01 44 41 36 36*

The theatre of the Odéon, inaugurated in 1782, was built for the king's comedians, but the troupe disbanded during the Revolution because of political differences. In 1797 the theatre was renamed Odéon. Twice destroyed by fire, it was rebuilt to the original plans in 1807 and 1818. In 1965, the ceiling of the auditorium was decorated by André Masson. It is now specialises in high quality plays and often invites foreign theatre companies to perform there.

104 Opéra de la Bastille

25 D2

- *120, rue de Lyon (XIIe) • Métro Bastille*
- *Mon–Sat Guided tour (fee) of the public areas, the auditorium and scenery spaces only • Tel. 01 40 01 17 89; recorded announcement: 01 40 01 19 70*
- *Events: Tel. 01 44 73 13 00*

The 'Opéra moderne et populaire' of the Bastille, the idea of which was conceived by President Mitterand in 1982, was designed by Carlos Ott. It opened seven years later on the bicentenary of the Revolution, but the new Opéra has been at the centre of constant controversy ever since. From a technical point of view it is a great success. The large auditorium can seat 2,716 and the building has an adaptable orchestra pit and revolving stages for chanigng scenery.

105 Opéra Garnier

19 D2

- *Pl. de l'Opéra (IXe) • Métro Opéra • Daily 10.00–17.00*
- *Guided tour daily except Mon 13.00: tel. 01 40 01 22 63*
- *Events: tel. 01 44 73 13 00.*

Described by Théophile Gautier as a *Cathédrale mondaine* ('wordly cathedral'), the Opéra was conceived to entertain the high society of the Second Empire. Its architect, Charles Garnier, was unanimously chosen by a jury. Started in 1862, the opera house was opened in 1875. The building mixes architectural styles and interprets them with perfectly controlled exuberance. It is absolutely colossal, covering about 11,000 m^2. (13,000 square yards). The stage is 48 m (157 feet) wide and 27 m (89 feet) deep. The auditorium with cupola painted by Chagall in 1962 occupies only a small part of the gigantic building. The magnificent main staircase and the sumptuously decorated foyer were designed for the rich bourgeoisie of 19th c. Paris.

1 ***Théâtre national de l'Odéon,*** *seen from the Rue de l'Odéon.*
2 ***Opéra de la Bastille.***
3 ***Opéra Garnier.***
4 *Grand staircase.*

1

2

3

4

ORANGERIE (musée de l')

106 Orangerie (Musée de l')

19 D4

- *Jardin des Tuileries, pl. de la Concorde (Ier) • Métro Concorde*
- *Daily except Tue 9.45-17.15*
- *Guided tour Mon, Thur 11.30 • Tel. 01 42 97 48 16*

In 1853 an orangery was built beside the Place de la Concorde to protect the orange trees of the Jardin des Tuileries from the cold winter weather. Since the beginning of the 20th c., the building has been used for art and temporary exhibitions and subsequently became a museum. Besides the series of *Nymphéas* by Monet, it also contains 144 paintings from the art dealer Paul Guillaume's collection, later completed by his widow and her second husband. The museum also has works by Cézanne and Renoir, Soutine, Picasso, Derain, Modigliani and Matisse.

107 Orsay (Musée d')

19 D4

- *1, rue de Bellechasse (VIIe) • Métro Solférino • RER Musée-d'Orsay*
- *Daily except Mon; Tue, Wed, Fri, Sat 10.00–18.00, Thur 10.00–21.45, Sun 9.00–18.00; 20 Jun–20 Sept, from 9.00 • Guided tour*
- *Tel. 01 40 49 48 14; recorded announcement: tel. 01 45 49 11 11*

'The station is magnificent and looks more like a museum of Fine Arts' the painter Detaille wrote at the beginning of this century.

The station and the neighbouring luxury hotel were built between 1898 and 1900. The former was partly abandoned in 1939 while the latter closed its doors in 1973. The protests arising from the demolition of Baltard's pavilions in Les Halles saved the Gare d'Orsay from suffering the same fate.

Between 1980 and 1986, the architects Colboc, Bardon and Philippon were commissioned to restore the building. They developed the great nave while preserving its architectural structure as much as possible and without disrupting its stylistic unity. The Italian designer Gae Aulenti was commissioned to carry out the museum's interior decoration.

The museum is devoted to 19th c. art, from 1848 to 1914. The ground floor contains sculptures, paintings and objets d'art, dating from between 1848 and 1870/1880. The middle level concentrates on Art Nouveau and sculpture from the years 1870 to 1914.

The upper level is reserved for Impressionist and post-Impressionist painters, Monet, Manet, Pissarro, Renoir, Sisley, Degas, Cézanne, Caillebotte, Douanier Rousseau, Seurat, Van Gogh, Gauguin, Toulouse-Lautrec, and the painters known as the Nabis, Vuillard, Bonnard and Denis.

1 ***Musée de l'Orangerie.*** Nymphéas *(Water lilies).*
2 *View of the Musée de l'Orangerie.*
3 ***Musée d'Orsay.*** *The central avenue.*
4 *Facade overlooking the Seine, Quai Anatole-France.*

1

2

3

4

108 Palais-Bourbon

19 **C4**

(Assemblée nationale et hôtel de Lassay)

- *126-128, rue de l'Université et 29-35, quai d'Orsay (VIIe)*
- *Métro Assemblée-Nationale*
- *Palais-Bourbon: guided tour Mon, Fri, Sat 9.30–11.30, 14.00–17.00, except when sitting. Identity document required* • *Tel. 01 40 63 60 00*
- *Hôtel de Lassay: guided tour* • *Tel. 01 40 63 59 24 or 01 40 63 59 34*

Ironically, the seat of the Assemblée nationale de la République is the Palais-Bourbon, name of the kings of France who were driven out by the revolutionaries and the Republicans. The Palais Bourbon and neighbouring Hôtel de Lassay, now the residence of the president of the Assembly, were both built between 1726 and 1730. The first was for the Duchesse de Bourbon, daughter of Louis XIV and Madame de Montespan, and the second for the Marquis de Lassay, her friend and lover. Confiscated during the Revolution like so many other buildings, the Palais Bourbon was adopted by the Conseil des Cinq-Cents (Council of the five hundred) in 1795. This was when the Salle des séances (council chamber) was created; it was redesigned in 1828. Napoleon I installed the Corps législatif (legislative assembly) here and commissioned the classical facade overlooking the Seine.

After 1843, the single storey of the Hôtel de Lassay had another floor added to it and it was linked to the Palais Bourbon by a gallery.

109 Palais-Royal *(and gardens)*

20 **A3**

- *Pl. du Palais-Royal (Ier)* • *Métro Palais-Royal-Musée du Louvre*

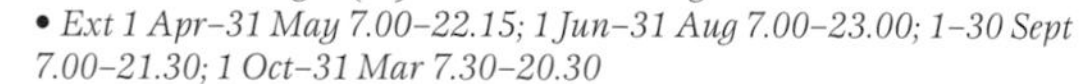

- *Ext 1 Apr–31 May 7.00–22.15; 1 Jun–31 Aug 7.00–23.00; 1–30 Sept 7.00–21.30; 1 Oct–31 Mar 7.30–20.30*

During the Consulate and the Empire, the Palais-Royal was a temple of prostitution and gambling known throughout Europe. Between 1815 and 1817, after Napoleon's fall, this pleasure den attracted many soldiers who had fought France during the Napoleonic wars; they spent more money here than the indemnities paid out by the country to the victors. Without its bawdy houses, cafés and prostitutes the Palais-Royal quietened down between 1829 and 1836.

Built between 1620 and 1630 for the Duke of Richelieu, it developed rather anarchically. Only the general layout remains of this building. Between 1781 and 1784, its owner was Philippe d'Orléans (known as Philippe-Égalité during the Revolution); he built houses and shops there as a commercial venture.

The palace was completed in 1814 by his son, the future Louis-Philippe. It now houses the Council of state, the Constitutional council and the Ministry of culture.

1 ***Palais-Bourbon.*** *Facade overlooking the Seine.*
2 *The meeting chamber of the Assemblée nationale.*
3 ***Palais-Royal.*** *The Cour d'honneur and the columns by Buren.*

1

2

3

110 Panthéon

24 B3

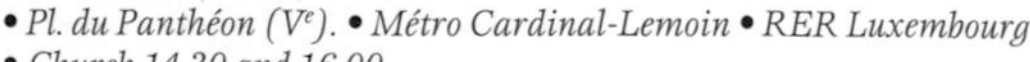

• *Pl. du Panthéon (V^e^). • Métro Cardinal-Lemoin • RER Luxembourg*
• *Church 14.30 and 16.00*
• *Visit to the crypt (free) • Tel. 01 43 54 34 51*

Saint Genevieve was not able to enjoy her new sanctuary, completed in 1790, for very long. The following year it became the French Pantheon, a secular temple to house the tombs of the great men of the country.

The king's vow Seriously ill, Louis XV promised to visit the church of Sainte-Geneviève, the patron saint of Paris, if she helped him get better. Having recovered, he not only kept his promise but also decided to rebuild the church. The architect Soufflot designed a building in the neo-Classical style. In the shape of a Greek cross, it is 110 m (361 feet) long, 84 m (276 feet) wide and 83 m (272 feet) high, crowned by a dome supported by several columns.

The facade is adorned with a portico supported by columns and topped by an ornate pediment depicting alternately religious and secular subjects, reflecting the successive roles of the building.

In 1885, the year when Victor Hugo was buried, the building was officially dedicated to the 'great men' by the 'grateful motherland'. The tombs in the Panthéon are situated in the vast crypt which was originally intended for the monks of the abbey of Sainte-Geneviève. Mirabeau and Voltaire were the first occupants of the funerary galleries. Today they contain some 40 dignitaries of the first Empire, the tombs of Rousseau, Zola, Berthelot and his wife, Langevin, Jaurès, Moulin, Monnet, Pierre et Marie Curie, and Malraux. There are 67 tombs in the crypt. Voltaire and Rousseau have been transferred to the peristyle.

111 Paris-Bercy *(Palais omnisports de)*

16 B3

• *8, bd de Bercy (XIIe)*
• *Métro Bercy*
• *Tel. 01 44 68 44 68*

A grass-covered pyramid, the Palais omnisports of Paris was built to the east of Paris to replace the winter Vélodrome (bicycle track) which used to be situated in the XVe. The hall can accommodate between 3,500 and 17,000 people, depending on the event – which may range from operas to rock concerts. It has been designed to meet the requirements of 24 different sport disciplines: athletics, cycling, swimming, motor sports and so on.

1 ***Panthéon,*** *view from the Rue Soufflot.*
2 *André Malraux in the Panthéon.*
3 ***Palais omnisports de Paris-Bercy.***
4 *Supercross.*

1

2

3

4

112 Petit Palais

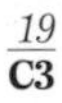

19
C3

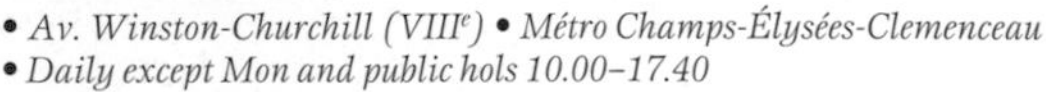

- *Av. Winston-Churchill (VIIIe) • Métro Champs-Élysées-Clemenceau*
- *Daily except Mon and public hols 10.00–17.40*
- *Guided tour Tue, Fri 12.30, Wed, Sat 14.30 • Tel. 01 42 65 12 73*

Built for the Exposition universelle (Universal exposition) of 1900, the Petit Palais, designed by the architect Girault, now houses the Musée des Beaux-Arts de la Ville de Paris.

---

113 Port-Royal (Cloître de)

24
A4

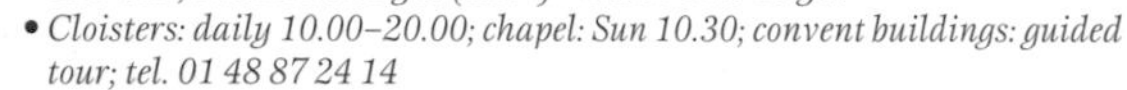

- *123-125, bd de Port-Royal (XIVe) • Métro Port-Royal*
- *Cloisters: daily 10.00–20.00; chapel: Sun 10.30; convent buildings: guided tour; tel. 01 48 87 24 14*

At the beginning of the 17th c., the abbess Angélique Arnauld decided to reform the nuns of her abbey of Port-Royal des Champs, near Paris. In 1628, she built a new abbey in the capital with the financial help of Marie de Médicis and Louis XIII. Port-Royal later became a stronghold of Jansenism.

On 24 August 1664, Louis XIV expelled the 70 nuns who rejected absolutism.

---

114 Poste (Musée de la)

23
C3

- *34, bd de Vaugirard (XVe) • Métro Montparnasse-Bienvenüe*
- *Daily except Sun and public hols 10.00–18.00*
- *Tel. 01 42 79 23 45*

The museum traces the history of communications and the postal service throughout the ages, starting with the first messages on clay tablets. The exhibits include old mail coaches, models of mail boats, wagons and the first mail van, as well as machines for sorting and franking the post.

---

115 Quai d'Orsay (Palais du)

19
C4

- *35-37, quai d'Orsay (VIIe)*
- *Métro Invalides • RER Musée-d'Orsay*
- *Ext*

The Palais of the quai d'Orsay, designed by Lacornée, was built 1845–56. It is one of the first examples of an eclectic style combining Italian Renaissance and French Classicism. Housing the Ministère des Affaires étrangères (ministry of foreign affairs), until 1973 it was the official venue for foreign visiting sovereigns and heads of state.

1 ***Petit Palais.*** *Facade.*
2 ***Cloître de Port-Royal.***
3 ***Musée de la Poste.*** *Model of a mail wagon, 1845.*
4 ***Palais du quai d'Orsay.***

1

2

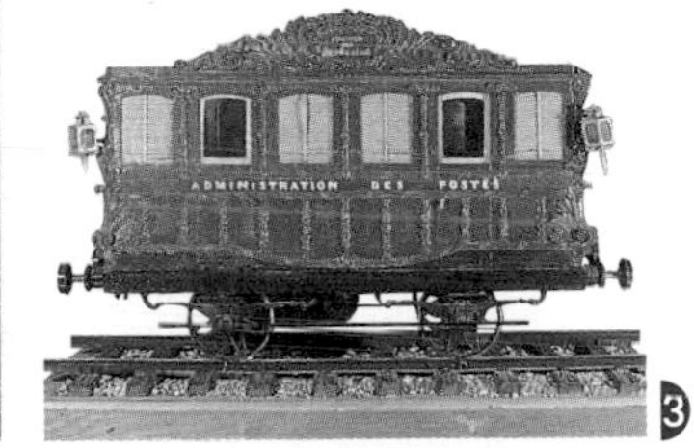

3

4

The Seine, Its *Quais* and Its Bridges

"The water rose so high that it covered the Île Notre-Dame and, in front of the Quai aux Ormeteaux (now the Quai des Célestins), boats and skiffs could easily navigate; and all the houses which were built below water level were flooded to the first floor level. Some had their storerooms flooded to twice the height of a man and there, it was truly sad because the wine floated on top of the water. In the stables three or four steps down, the horses firmly tied up could not be saved in time and were drowned, in the space of two hours, so sudden was the flood."

The end of the Île Saint-Louis and the Pont Louis-Philippe.

Having set up the easel on the Pont de la Tournelle, the artist is painting one of the most famous views of Notre-Dame, from the east end of the cathedral.

Water the destroyer

The passage above was how an anonymous burgher of Paris described the flood in June 1427, one of the innumerable floods which the capital suffered over the centuries. The sudden flooding of the Seine carried everything before it – boats, bridges, houses, human beings and animals . In 1658 it achieved a record height of 8,81 m (29 feet) which has never been exceeded since. These floods also seriously

Below: On the quais *between Saint-Michel and the Louvre are the* bouquinistes *(secondhand booksellers).*

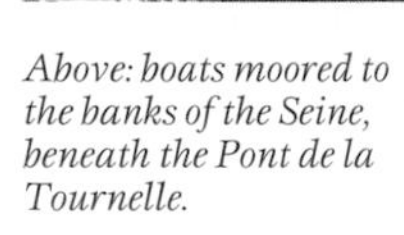

Above: boats moored to the banks of the Seine, beneath the Pont de la Tournelle.

Quai Saint-Bernard: An open-air sculpture museum.

damaged some of the city's finest monuments. In the winter of 1689–90, for instance, the waters submerged the lower level of the Sainte-Chapelle and destroyed the stained glass in that part of the building. To struggle against these natural disasters the banks were built up little by little and a barrage was built at Suresnes. Following the dramatic flood of 1910, which saw the water rise to 8,50 m (28 feet), the river was tamed at last by building special parapets and by constructing other barrages along the Seine and its tributaries.

L'allée des Cygnes makes a very pleasant walk. On reaching the Pont de Grenelle, there is a 1/5-scale replica of the Statue of Liberty.

The river which feeds

From the Gallo-Roman period to the 20th c., the Seine, wise or capricious, ensured that Paris was

The Pont des Arts with the Pont-Neuf in the background.

The Pont-Neuf. Looking at it, one can understand why a healthy person of a certain age may be described in French as 'solid as the Pont-Neuf'.

The Seine flowing beneath the Pont Mirabeau.

Right: The Pont Alexandre-III and one of the sculptures which decorate this work of art with a single span of 109 m (119 yards).

supplied with corn, fish brought in reservoir-boats, meat, fruit, wine, wood for heating and for building, and coal. Even today the port of Paris, the largest river port in France, whose boundaries greatly exceed those of the capital, represents one-fifth of all the transport of goods in the Paris region. The sight of heavily laden barges is part of the river scenery.

Paris from the Seine

Cruise boats and Batobus services (see *Practical information*) invite tourists to discover Paris from the river. The boats glide along the river, passing the many important monuments which overlook it, ranging from the Eiffel Tower to Notre Dame. This enchanting spectacle is combined with the view nearer at hand of fishermen teasing the fish; Parisians who, in the summer in

The present Pont Marie was built in 1929.

The most recent of the Paris bridges, the Pont Charles-de-Gaulle. A success!

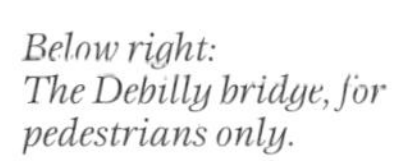

Below right: The Debilly bridge, for pedestrians only.

bathing trunks turn the banks into beaches, looking forward to the day, perhaps quite soon, when they will bathe in water free of all pollution.

Further off, amateur painters try to immortalise the river as Jongkind, Marquet, Matisse and Signac did before them.

Places to walk

With its ports, its fish and its vegetable markets on the Quai du Marché-Neuf (IVe), and its wine market on the Quai de Bercy (XIIe), long one of the best in Europe, its craftsmen such as the tanners who treat their skins on the Quai de la Mégisserie (Ier) or the washerwomen who wash their linen on the Quai de Javel (XVe), the banks and *quais* of the Seine have played a significant part in the activities of Paris. Their rebuilding, begun in the

The quais *in the heart of Paris (here by the Pont des Invalides) have the look of theatrical scenery.*

The famous zouave *(Algerian infantryman) on the Pont de l'Alma, here keeping his feet dry.*

14th c., still goes on today. In the 1960s a large part of the right bank was sacrificed to the motor car. The negative reactions of many Parisians restricted a similar operation on the left bank to a short section.

The lower part of the *quais* still provides long, beautiful walks. Near la Concorde (VIIIe), on the Quais Saint-Bernard (V^{e}) and d'Austerlitz (XIIIe), smart house-boats are moored and one cannot resist casting them an envious glance. On the Quai Saint-Bernard, there is an amazing open-air museum exhibiting modern statues.

On the upper part of the Quais the *bouquinistes* (secondhand booksellers) on both banks attract browsers, bibliophiles and print collectors. In the middle of the Seine, the Allée des Cygnes (XVe) is a pleasnt place for a walk. One end, near the Pont de Grenelle, is a $^{1}/_{5}$-scale replica of the **Statue of Liberty** in New York (which was a gift from France to the United States). In return, this replica was given to the city by Americans living in Paris.

From one bank to the other

The banks of the Seine are joined by 37 bridges, of which two are reserved for the Métro and RER, two for the *périphérique* (ring road) and two for pedestrians (including the Pont des Arts; VIe). The most recent of all these bridges is the Pont Charles-de-Gaulle (XIIe-XIIIe), opened in 1996. The oldest bridges are the Pont-Neuf (VIe), built between 1578 and 1607, the Pont Marie (IVe), built between 1614 and 1635, and the Pont Royal (Ier), begun in 1685 and finished four years later.

The Pont-Neuf, the most famous of all, is ornamented with an equestrian statue of Henri IV – known as the Vert-Galant because of his lively love life –, which was built in 1818 as a replacement for the one destroyed during the French Revolution. In 1985, the Pont-Neuf was transformed for a fortnight by the artist Christo, who wrapped it up. For the requirements of his film *Les Amants du Pont-Neuf* (1991), Carax built a large-scale replica of the bridge in the south of France.

Among the most recent of the works of art is the Pont Mirabeau (XVIe, 1890–96), praised by the poet Apollinaire, the Pont Alexandre-III (VIIIe), richly decorated and aligned on the axis of the Invalides, opened for the Universal Exposition of 1900, and the Debilly footbridge (VIIe) which was thrown across the Seine on the occasion of the same event.

The Pont de l'Alma (VIIe), rebuilt in 1874, has preserved from the previous stone construction of 1855 a statue of an infantry soldier, the famous *zouave*, which is used as the official measuring point for the Seine when it floods.

The Pont de Bir-Hakeim (XVe), carries the Métro, cars and pedestrians all at once, and is a superb example of architecture in metal. The Pont des Invalides (VIIe-VIIIe), rebuilt in 1878, which does not face the Invalides as one might think from its name, is decorated with statues of victories and trophies.

The Petit-Pont (V^{e}), which connects the Île de la Cité to the left bank of the Seine, has the distinction of being the smallest bridge in Paris. On the same side, the Pont de la Tournelle (V^{e}) was originally a wooden footbridge, frequently rebuilt until the construction of a stone one designed by the architect Marie in 1856. The present one dates from 1929.

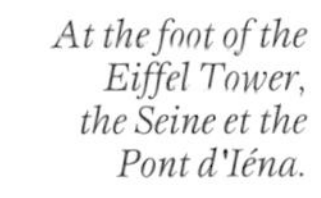

At the foot of the Eiffel Tower, the Seine et the Pont d'Iéna.

The pont Royal with the towers of Notre Dame in the distance.

116 Radio France (Maison de)

13
D1

• *116, av. du Président-Kennedy (XVIe)* • *Métro Ranelagh* •
RER Avenue-du-Président-Kennedy-Maison-de-Radio-France.
• *Daily except Sun and public hols: guided tours 10.30, 11.30, 14.30, 15.30, 16.30* • *Tel. 01 42 30 15 16*

The Maison de la Radio is a large circular building 500 m (1,640 feet) in diameter, dominated by a tower 67.80 m (222 feet) high. Designed by the architect Bernard and built between 1955 and 1962, it consists of two concentric rings.

The first ring, with its offices, foyers and reception area, provides acoustic protection for the second ring in which the completely insulated studios are situated. The archives are kept in the 23-floor tower block.

The Maison de la Radio is also the headquarters of France-Inter, France-Culture, France-Musique, Radio France International, France Inter Paris (FIP), Radio-Bleue and France-Info. This building has been much copied by other radio buildings, such as the one in Cairo built in 1965. The Musée de Radio France traces the history of radio and television from their beginnings.

117 Sacré-Cœur (Basilique du)

9
D3

• *35, rue du Chevalier-de-la-Barre (XVIIIe)* • *Métro Abbesses then funicular, or Anvers*
• *Daily 7.00–22.30* • *Crypt and dome (entrance fee): 9.00–18.00 (winter), 9.00–19.00 (summer)* • *Tel. 01 53 41 89 00*

Long considered the very epitome of ugliness, the Sacré-Cœur is now with the Eiffel Tower one of the symbols of Paris. Built at the top of the hill in Montmartre, the church is dedicated to the Sacré Cœur de Jésus (Holy heart of Jesus); it was conceived in 1870 by two Parisians who were saddened by France's defeat and wished to redeem the Nation's sins by building a church.

Its construction was completely funded by private money, raised by a national subscription. The architect Abadie was chosen from several competitors and he drew up the plans for the building which was to be white and dominated by a campanile 80 m (262 feet) high. There were three cupolas which were unfortunately later increased in height.

Started in 1877 and consecrated in 1919, the Sacré-Cœur was only completed in 1923. In order to fund this amazing project, individual stones or sometimes entire columns were sold for various amounts to subscribers who then had their initials engraved on them. The campanile boasts one of the largest bells in the world, the *Savoyarde*, cast in 1895 which, with its clapper, weighs 19,685 kg (19.55 tons).

1 ***Maison de Radio France.***
2 ***Basilique du Sacré-Cœur.***

1

2

118 Saint-Aignan *(Chapelle)*

21 **C4**

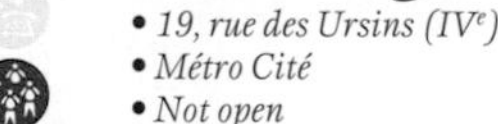

- *19, rue des Ursins (IVe)*
- *Métro Cité*
- *Not open*

Of the 23 churches and chapels built on the Île de la Cité around Notre-Dame and the Sainte-Chapelle, this partly preserved little Romanesque chapel founded in 1196 is the only survivor. In the 12th c. it may have sheltered the lovers Héloïse and Abélard and witnessed the preaching of Saint Bernard.

119 Saint-Alexandre-Nevski *(Orthodoxe cathedral)*

18 **B2**

- *12, rue Daru (VIIIe)* • *Métro Ternes or Courcelles*
- *Tue, Fri and Sun 15.00–17.00* • *Tel. 01 42 27 37 34*

The proud cathedral and its Byzantine-style golden onion-shaped domes are a striking sight in the VIIIe arrondissement. Completed in 1861, it was designed by the architects of the St. Petersburg Fine Arts Academy and financed by Tsar Alexander II and the Russians living in Paris.

120 Saint-Augustin *(Église)*

19 **C2**

- *46, bd Malesherbes (VIIIe)* • *Métro Saint-Augustin*
- *Mon–Fri 7.45–18.45, Sat 9.00–12.00, 14.30–19.30, Sun 9.00–12.15, 18.00–19.30* • *Tel. 01 45 22 23 12*

Saint-Augustin is the first church with an iron structure covered with a dressing of stone. It was designed by Baltard, the architect who designed the old buildings of Les Halles. The building combines Romanesque, Gothic, Byzantine and Renaissance styles; it is 94 m (308 feet) long and was completed in 1871.

121 Saint-Christophe de Javel *(Église)*

13 **D2**

- *28, rue de la Convention (XVe)* • *Métro Javel*

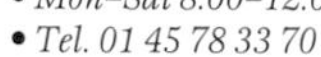

- *Mon–Sat 8.00–12.00, 13.30–18.30*
- *Tel. 01 45 78 33 70*

Built near the Citroën factory, this church was naturally dedicated to St. Christopher, the patron saint of travellers… and therefore car drivers. It was designed by the architect Besnard and constructed between 1926 and 1934 from concrete slabs which were prefabricated by direct casting on site.

1 ***Chapelle Saint-Aignan.*** *Capitals.*
2 ***Saint-Alexandre-Nevski.*** *Dome.*
3 ***Saint-Augustin.*** *Metal structure.*
4 ***Saint-Christophe de Javel.***

1

2

3

4

122 Saint-Denis and Saint-Martin *(Portes)*

• *Corner of rue du Faubourg-Saint-Denis and bd Saint-Denis, and corner of Faubourg-Saint-Martin and bd Saint-Martin (Xe)*
• *Métro Strasbourg-Saint-Denis* • *Ext*

21 C3

The fortifications erected during the Middle Ages by order of Charlemagne to protect the capital later became unnecessary and they were demolished by Louis XIV. They were replaced by tree-lined avenues, the precursors of the great Paris boulevards. The city of Paris financed the construction of two decorative gates, not far from the old medieval town gates. Inspired by the triumphant arches of antiquity, these were a celebration of the Sun King. The first immortalised his victories in the war with Holland and the second, his conquest of France-Comté.

123 Saint-Étienne-du-Mont *(Église)*

24 B2

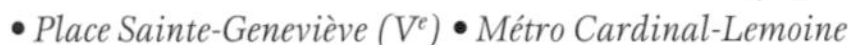

• *Place Sainte-Geneviève (Ve)* • *Métro Cardinal-Lemoine*

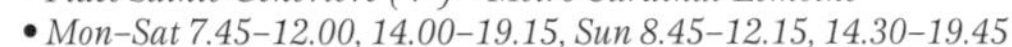

• *Mon–Sat 7.45–12.00, 14.00–19.15, Sun 8.45–12.15, 14.30–19.45*
• *Concerts* • *Tel. 01 43 54 11 79*

In 1492, the students attending the schools and universities of the district had become so numerous that it became necessary to rebuild the church of Saint-Étienne. Construction lasted until the beginning of the 17th c. which explains the mixture of Gothic and Renaissance styles. In the 18th c., the magnificent stone rood screen built around 1530 was spared from destruction thanks to the action of a few parishioners. It is the only one in existence in Paris. The highly ornate organ loft, the wooden pulpit, the statues, the paintings and the stained glass windows, dating from the 16th and 17th c. complete the sumptuous decor of the church which also houses the shrine containing a piece of the saint's original tomb.

124 Saint-Eugène-et-Sainte-Cécile *(Église)*

• *4 bis, rue Sainte-Cécile (IXe)* • *Métro Bonne-Nouvelle*
• *Mon–Fri 10.30–12.30, 16.30–19.30, Sun 9.45–13.00, 17.30–19.45*
• *Tel. 01 48 24 70 25*

20 B2

This church, built between 1854–55, is the first to be constructed completely of iron. Its tall Gothic vaults are supported by thin, elegant columns of cast iron, painted in bright colours. But the example was not widely followed; although more expensive, stone has remain the preferred medium.

1 ***Porte Saint-Denis.*** *19th-c. engraving.*
2 ***Porte Saint-Martin.*** *19th-c. engraving.*
3 ***Saint-Étienne-du-Mont.*** *The rood screen.*
4 *Facade of the church.*
5 ***Saint-Eugène-et-Sainte-Cécile.***

1

2

3

4

5

125 Saint-Eustache (Église)

20
B4

- *2, rue du Jour (Ier)*
- *Métro Les Halles • RER Châtelet-Les Halles*
- *Daily 9.00–19.00 • Tel. 01 42 36 31 05*

In the 2nd c. a Roman soldier is said to have been converted to Christianity after encountering a deer carrying a cross between its antlers. This is the legend of St Eustace who is believed to have been martyred with his family, being shut in a bronze barrel which was made white hot.The reconstruction of the church dedicated to him and St. Agnes started in 1532.

The project was conceived by François I on a grand scale; it was modelled on the cathedral of Notre-Dame, with its five naves, non-projecting transept, apse and continuous ambulatory which included the chapels of the nave and the chancel. Although the ground plan is Gothic, the details of this grand construction are a faithful application of the architectural theories of the Renaissance.

The building is 105 m (344 feet) long, 44 m (144 feet) wide and 34 m (111 feet) high. Though consecrated in 1637 it was only completed in 1640. The facade was rebuilt in the classical style in the late 18th c.

In the 19th c. the architect Baltard was asked to undertake the restoration of the church which had been damaged in a fire. Inside it still has paintings, sculptures, mosaics and stained glass windows from the 16th to the 19th c.

126 Saint-Germain-l'Auxerrois (Église)

20
B4

- *2, pl. du Louvre (Ier) • Métro Louvre-Rivoli*
- *Daily 7.45-20.00*
- *Tel. 01 42 60 13 96*

It is from the bell tower of this church that the signal for the massacre of Saint-Bartholomew's Day was given on the night of 23/24 August 1572 during which the Catholics killed more than 3,000 Protestants. The church was founded at the end of the 7th c., being dedicated to Saint Germain who was bishop of Auxerre in the 5th c. Rebuilt and altered several times through the ages, the church stills preserves features dating from the 12th, 13th, 15th and 16th c. In spite of having been rebuilt and altered many times, the interior of the church forms a harmonious ensemble, typical of the controlled flamboyant style of late 15th c churches in Paris.

The church has been part of the royal parish since the 16th c. and many famous people have been buried in it, including architects, sculptors and painters in the service of Louis XIV and his successors, like Le Vau, Coustou and Boucher.

1 ***Saint-Eustache.*** *General view.*
2 ***Saint-Germain-l'Auxerrois.*** *The porch.*

1

2

127 Saint-Germain-des-Prés (Église)

24 / A2

- *3, pl. Saint-Germain-des-Prés (VIe)*
- *Métro Saint-Germain-des-Prés*
- *Daily 8.00–20.00* • *Tel. 01 43 25 41 71*

In the 16th c. the relics of Saint Vincent were brought back to the Frankish kingdom from Spain. Childebert I, the son of Clovis, decided that they would be preserved in a new abbey. He entrusted the supervision of this task to bishop Germain. The construction of the Romanesque church started at the end of the 10th c. and the nave with its beautiful carved capitals was built in about 1025–30. The Gothic vault is from the 17th c. The chancel was erected around 1145 in the Gothic style introduced a few years earlier at Saint-Denis.

128 Saint-Gervais-Saint-Protais (Église)

25 / C1

- *pl. Saint-Gervais (IVe)*
- *Métro Hôtel-de-Ville*
- *Daily except Mon 6.00– 21.30* • *Tel. 01 42 72 64 99*

The 6th c. church, rebuilt after the invasion of the Normans in 886, was twice enlarged to accommodate the ever-increasing number of parishioners. The last building , started in 1494 in the flamboyant Gothic style, was given a classical facade in 1621 by Salomon de Brosse. This edifice was the first in Paris to superimpose the three architectural orders, Doric, Ionic and Corinthian, borrowed from ancient monuments. Between the 17th and 19th c., the organ loft, built in 1628, was occupied by six generations of the Couperin family, including the famous composer François Couperin.

129 Saint-Jacques (Tour)

20 / B4

- *Sq. de la Tour-Saint-Jacques (IVe)*
- *Métro Châtelet*
- *Ext*

The bell tower stands alone in the middle of the square and is ignored by most who pass by on the Rue de Rivoli. It is the only surviving part of the church of Saint-Jacques-de-la-boucherie, demolished during the Revolution. In the Middle Ages this church was one of the starting points for pilgrims setting out for Santiago de Compostela in Spain. It owes the last part of its name to the large butcher's shop nearby, or to the butchers themselves who had their own chapel in the church.

1 ***Saint-Germain-des-Prés.***
2 *Capitals.*
3 ***Saint-Gervais-Saint-Protais.*** *Stained glass window.*
4 *Bell tower.*
5 ***Tour Saint-Jacques.***

1

2

3

4

5

130 Saint-Jean-Baptiste de Belleville (Église)

10 C4

• 139, rue de Belleville (XIXᵉ) • Métro Jourdain
• Mon–Sat 9.00–19.00, Sun 9.00–13.00 and 15.00–19.00
• Tel. 01 42 08 54 54

Jean-Baptiste Lassus, the theoretician of neo-Gothic architecture and chief restorer of the Sainte-Chapelle, was responsible for the style of this church, built between 1854 and 1859. His aim was to build a perfect 13th c. edifice. However, the two identical spires of this church set it apart from authentic medieval churches whose spires were invariably different.

The carved portraits at the spring of the arches of the vaults are not medieval either: they represent the architect, the vicar and the councillors of the time.

131 Saint-Jean-de-Beauvais (Romanian Orthodox church)

24 B2

• 9 bis, rue Jean-de-Beauvais (Vᵉ) • Métro Maubert-Mutualité
• Open only during services: Fri–Sat 18.00, Sun morning from 9.30
• Tel. 01 43 54 67 47

The church is all that remains of the Dormans-Beauvais college, founded in 1370 by Jean de Dormans, bishop of Beauvais, for the students of the Soissons diocese. The church was conceived by Charlemagne's architect Raymond du Temple. Its Gothic spire is the only one of that period surviving in Paris. Dedicated to the Romanian Orthodox cult since 1885, the church is embellished with an abundance of contemporary decorations, including a four-panel iconostasis separating the sanctuary from the nave.

132 Saint-Jean-l'Évangéliste de Montmartre (Église)

20 A1

• 19, rue des Abbesses (XVIIIᵉ) • Métro Abbesses
• Mon–Fri 8.30–12.00, 15.00–19.30; Sun 8.30-12.00, 15.00–18.00
• Tel. 01 46 06 43 96

This church is built of reinforced concrete and clad with bricks. The first example of its kind in Paris, it was designed by Anatole de Baudot, a follower of Viollet-le-Duc. Construction started in 1894 and lasted ten years with many ups and downs, caused partly by the lack of confidence in the new material. The interior is decorated with painted floral motifs in the Art Nouveau style and brightly coloured stained glass.

1 ***Saint-Jean-Baptiste de Belleville.*** *Facade.*
2 ***Saint-Jean-de-Beauvais.*** La Vierge à trois mains.
3 *Iconostasis with four silver panels.*
4 ***Saint-Jean-l'Évangéliste de Montmartre.*** *Detail of the interior.*

133 

Saint-Julien-le-Pauvre (église)

24
B2

• *1, rue Saint-Julien-le-Pauvre (Ve) • Métro Saint-Michel*
• *Daily 9.30–13.00, 15.00–18.30*
• *Concerts • Tel. 01 43 29 09 09*

This church is dedicated to Saint Julien le Pauvre, the patron saint of refuges. It was built around the end of the 12th c. and beginning of the 13th c. on the site of a former hospice, situated on the route to Santiago de Compostela. In the 17th c. the nave lost two bays but gained a new facade. It is said that the Italian poet Dante Alighieri may have worshipped here. Since 1889 the chapel has belonged to the Greek Catholic Church. Consequently the chancel is separated from the nave by an iconostasis screen.

Saint-Leu-Saint-Gilles (Église)

• *92, rue Saint-Denis (Ier) • Métro Étienne-Marcel • RER Châtelet-Les Halles. • Mon 17.00–22.30, Tue-Thur 14.00–20.00, Fri, Sat 14.00–24.00, Sun 9.00–12.15 • Tel. 01 42 33 50 22*

Loup, or Leu, bishop of Sens, and Gilles, the Provençal hermit, lived in the 6th c. The church dedicated to them was remodelled several times since it was built in the 14th c. This has produced a curious mixture of Gothic, classical and Baroque styles . In the 19th c., part of the apse was demolished to make room for the new Boulevard Sébastopol. Since 1928 the order of the knights of the Holy Sepulchre has recovered the church given to them by Louis XVI from which it was expelled during the Revolution.

Saint-Louis (Hôpital)

21
D2

• *2, pl. du Docteur-Alfred-Fournier (Xe) • Métro Goncourt*
• *Chapelle Saint-Louis 14.00–17.00 • Musée des Moulages (entrance fee): Mon–Fri by appointment • Tel. 01 42 49 99 15.*

The construction of these brick and stone buildings built around courtyards started in 1607 on the initiative of Henri IV. Architecturally they are reminiscent of the Place des Vosges and the Place Dauphine. The hospital was designed to help combat the deadly epidemics of the plague, frequent in Paris in the late 16th c. and early 17th, by isolating the infected plague victims. In order make this isolation complete the hospital was surrounded by several walls. Since 1801 the hospital has specialised in the treatment of dermatological and venereal diseases. It has an interesting museum with wax moulds for learning about various diseases.

1 ***Saint-Julien-le-Pauvre.***
2 ***Saint-Leu-Saint-Gilles.*** *The choir.*
3 ***Hôpital Saint-Louis.*** *Main entrance.*
4 *The 17th-c. buildings.*

1

2

3

4

THE PARIS OF STREETS, MARKETS AND FESTIVALS

Paris, of course it is the Eiffel Tower, the Invalides, Montmartre, the Louvre and the Centre Georges-Pompidou. But it also includes those whose profession leads them to frequent the streets daily. There are aspects of the capital which are only revealed to visitors during festivals or great events. On these occasions large crowds invade the city – to such an extent that some events, such as the festival organised within the narrow area of the Pont-Neuf and the Place Dauphine between 1978 and 1983 have had to be given up.

Roger Henri, one of the last itinerant knife grinders in Paris.

Far right: Mireille and her roast chestnuts in front of the railings of the Luxembourg gardens.

'Hot chestnuts!'

The streets of Paris still sometimes ring here and there with the cries of the last survivors of 'the little professions'. In the cold of winter, passers by respond willingly to the invitations of the hot chestnut sellers who roast their wares on home-made grids. These chestnuts are welcome for their taste and also for the opportunity a well-filled paper bag of them gives for warming the hands.

Newspaper sellers who used to pace the streets crying out the name of their particular title have given way to newspaper kiosks and the homeless who offer magazines intended to help the needy.

Also on the pavements are the trestle tables of discount booksellers and specialists with machines for laminating identity cards. And one may even find a knife grinder, sharpening knives and other cutting tools.

A kaleidoscope of colours

The spontaneity which rules in the markets makes an agreeable contrast with the sophistication of some *quartiers*. The stallholders cheerfully praise their merchandise: 'See what lovely fish I've got!', 'Beautiful carrots, just six francs!' Everyone enjoys wandering among the stalls and choosing fruit, vegetables, cheese, cooked meats, fish and meat. There are still many market gardeners in the vicinity of Paris and they look after the sale of their crops themselves. There are about 80 fresh food markets in the city, 13 of them covered. The ones in the Rue Mouffetard (V^{e}), the Place d'Aligre (XIIe), the Boulevard de Belleville (XIe and XXe) the Boulevard de Secrétan (XIXe) are the most picturesque.

Others specialise in flowers – the Place Louis Lépine (IVe), Place de la Madeleine (VIIIe) and Place des Ternes (XVIIe) –, birds (Quai de la Mégisserie, Ier), stamps (Avenue Gabriel, VIIIe), books (87, Rue Brancion, XVe), clothes (at the Carreau du Temple, consisting of two glass and cast iron pavilions dating from 1863, in the Rue Perrée, IIIe) and materials (Marché Saint-Pierre,

The flower market: a touch of nature on the Île de la Cité.

The market at the Carreau du Temple.

Above left: the fruit and vegetable market in the Boulevard Richard-Lenoir.

Above. Bird market.

The book market in the Rue Brancion, next to the Parc Georges-Brassens.

One cannot fail to find the material one is looking for in the Marché Saint-Pierre.

Below: The stamp market in the Avenue Gabriel.

Below right: The Montreuil flea market. Like the others at Saint-Ouen and Vanves, one can always – or almost always! – find something nice.

XVIIIe). The best-known flea markets are Saint-Ouen, Montreuil and Vanves, held near the old city gates of Paris, . Secondhand markets are held seasonally in some squares and in some shopping streets.

Order, safety and cleanliness

Many city employees look after the good state of Paris. While policemen control the traffic which is extremely thick during rush hours, traffic wardens book cars which are illegally parked. The firemen are always ready to jump into their red vehicles and help those who are in difficulties. The

The police are also there to help lost tourists find their bearings .

Right: An old fire alarm.

Far right: Cleaning the pavements in the Champs-Élysées.

municipal employees clean the streets and pavements with their machines. They vacuum clean, sweep and water. Morning and evening, the dustmen come with their refuse wagons to clean the city of its

A little jazz always lifts the spirits.

This beautiful old-fashioned roundabout awaits its young passengers in the Place de la République.

rubbish. So, whatever people may say, Paris is a clean, well-kept city.

Daily entertainments

Often in a shopping street or in the surroundings of busy places like stations, it is quite common to hear musicians, soloists or groups, performing classical music, jazz or rock. The barrel organs which had deserted Paris are now returning. As before, the players pace up and down the streets with their instruments, collecting the coins which are sometimes thrown down from high up in the buildings.

Fire eaters , mimes and rap dancers are sure to find a receptive audience on the parvis of the Centre Georges-Pompidou (IVe) or in the quarter of Les Halles (Ier). Young children will no doubt prefer the roundabouts which are regularly set up in various parts of Paris. And players of pétanque or boules seek suitable quiet paths or parks where they can indulge in their favourite activity.

Claude Reboul with his barrel organ. He often plays it in the Centre Georges-Pompidou.

In Paris there is no shortage of places for pétanque players to have a game.

Bistro decorated to celebrate New Year's Eve in the Rue de Belleville.

Funny hats for the catherinettes*!*

When the city is grumbling

Some parts of Paris completely forget their daily routines during great protest demonstrations. The wide boulevards then belong to the workers who march by so as to make their grievances known and to express their discontent. At the same time large numbers of police gather in the streets to prevent demonstrators getting out of hand.

The capital en fête

In May, Parisians admire the stamina of the runners taking part in the international Paris marathon. In June, there is the spectacle of waiters and waitresses racing from the Place de la République to the Bastille

The regimental band of the Republican Guard is always apoplauded when it marches down the Champs-Élysées on the 14th of July.

The riders of the Tour de France in the Rue de Rivoli, about to enter the Place de la Concorde.

In December many shopping streets in Paris are lit up to celebrate Christmas and the New Year. The Champs-Élysées too are decorated for the occasion.

carrying trays laden with a bottle and a glass. For the Fête de la Musique on midsummer night (21 June) the *places* and the streets are crowded with people and bands playing.

On the 14th of July, France's national day, large crowds gather to watch the military parade along the Champs-Élysées (VIIIe), the fireworks at the Trocadéro (XVIe) and the many popular balls. At the end of the month, many people applaud the arrival of the Tour de France on the Champs-Élysées. Throughout the summer, there are many dance and concert events for the city's inhabitants.

Each year in April the Paris marathon attracts almost 20,000 runners.

On 21 November the city's cafés celebrate the arrival of the Beaujolais nouveau. On 25 November, the *catherinettes* – girls 25 and over who are not yet married – celebrate Sainte Catherine of Alexandria, patron saint of unmarried girls and, since the end of the 19th c., of dressmakers. Then come the preparations for the end-of-year celebrations of Christmas and New Year's Eve, with the special street illuminations and decorated shops.

136 Saint-Louis-en-l'Île (Église)

25 C2

- *19 bis, rue Saint-Louis-en-l'Île (IVe).* • *Métro Pont-Marie*
- *Daily except Mon morning 9.00–12.00, 15.00–19.00*
- *Concerts* • *Tel. 01 46 34 11 60*

The church is dedicated to Louis IX, the king who was canonised after having died of the plague in Tunis. Aligned with the houses along the street, it only stands out with its fretwork spire and its clock which is reminiscent of a shop sign. It was designed by Louis XIV's main architect, Le Vau, who lived on the island. Work started in 1664 but the church was only finished a century later with the completion of the spire.

The richly decorated interior still has many paintings and sculptures dating from the period between the 15th and 19th c.

137 Saint-Martin (Canal)

9 F3

- *Métro Jaurès*
- *Ext*

The industrial working-class district which used to stretch along the banks of the Canal St-Martin has now been replaced by a pleasant, tree-lined walk. An alternative to strolling along the banks is a leisurely boat trip. The canal was built between 1822 and 1825 and has nine locks, necessitated by the change of level of 25 m (82 feet). There are swing bridges, elegant iron footbridges and a tunnel 1,854 m (2,027 yards) long. The canal itself is 4.5 km (nearly 3 miles) long and links the Bassin de la Villette to the Arsenal at La Bastille.

138 Saint-Martin-des-Champs

21 D3

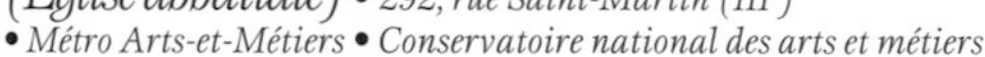

(Église abbatiale) • *292, rue Saint-Martin (IIIe)*
- *Métro Arts-et-Métiers* • *Conservatoire national des arts et métiers*
- *Closed for renovation until 1998*

Since the 8th c. there have been several churches and chapels on this site dedicated to St. Martin, the soldier who became famous for having shared his coat with a pauper and who became bishop of Tours (4th c.). The abbey of Saint-Martin-des-Champs was founded in 1060. The church still has Romanesque fragments in the nave and a bell tower from the same period, as well as a superb chancel. The other surviving medieval part of the abbey is the monks' refectory (13th c.) which is remarkable for the elegance of its vaults and its size: 42.80 m (140 feet) long and 11.70 m (38 feet) wide.

1 ***Saint-Louis-en-l'Île.*** *The clock.*
2 *The choir of Saint-Louis-en-l'Île.*
3 ***Canal Saint-Martin.*** *The Récollets lock.*
4 ***Saint-Martin-des-Champs.***

1

2

3

4

139 Saint-Médard *(Église)*

24 / **B3**

- *141, rue Mouffetard (Ve) • Métro Censier-Daubenton*
- *Daily except Mon, 8.30–12.30, 14.30–19.30, Sun 8.30–12.30, 17.00–19.00*
- *Tel. 01 44 08 87 00*

The church of Saint-Médard, built between the 15th and the 17th c., owes its renown to the neighbouring cemetery which was closed down by Louis XV in 1732. This was because of the hysterical behaviour of crowds attracted by the rumours of miraculous cures taking place on the tomb of the deacon Pâris.

140 Saint-Merri *(Eglise)*

20 / **B4**

- *76, rue de la Verrerie (IVe). • Métro Hôtel-de-Ville*
- *Daily 9.00–19.00 (winter), 20.00 (summer)*
- *Free concert Sat 21.00, Sun 16.00 • Tel. 01 42 71 93 93*

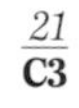

This church dedicated to Maint Merri was built during the reign of the Merovingian kings. The present 15th- and 16th-c. flamboyant Gothic buildings are magnificently decorated inside.

141 Saint-Nicolas-des-Champs *(Église)*

21 / **C3**

- *254, rue Saint-Martin (IIIe)*
- *Métro Réaumur-Sébastopol*
- *Mon–Fri 8.00–19.30, Wed until 22.15, Sat 10.30–19.00, Sun 10.30–12.30*

In the 12th c. the village near the abbey of Saint-Martin-des-Champs only had a modest chapel. In 1184, this little chapel became a church which was rebuilt in the 15th c. and further enlarged in the 16th and 17th c. It contains a beautiful altarpiece painted for the main altar by Simon Vouet in 1629.

142 Saint-Nicolas-du-Chardonnet *(Église)*

24 / **B2**

- *30, rue Saint-Victor (Ve).*
- *Métro Maubert-Mutualité*
- *Daily 7.30–19.00 • Tel. 01 46 34 28 33*

It was the painter Le Brun who designed the admirable tomb in which his mother is buried. He himself is buried in a tomb carved by Coysevox. They both rest in this church which was started in 1656 and built in the classical style. Since 1977 Saint-Nicolas-du-Chardonnet has been the seat of traditionalist Catholics.

1 ***Saint-Médard.*** *Concert in the church.*
2 ***Saint-Merri.*** *Chapelle du Saint-Sacrement et du Sacré-Cœur.*
3 ***Saint-Nicolas-des-Champs.*** *Interior view.*
4 Pietà.
5 ***Saint-Nicolas-du Chardonnet.***

1

2

3

4

5

143 *Saint-Paul-Saint-Louis* *(Église)*

25 **D1**

• 99, rue Saint-Antoine (IVᵉ) • Métro Saint-Paul
• Daily 7.30–19.30 (Thur 22.00) • Guided tour the 2nd Sun in the month 14.30 • Tel. 01 42 72 30 32

Built by the Jesuits in 1627, it was inspired architecturally by the church of Gesù in Rome. The first mass was celebrated in 1641 by Richelieu in the presence of Louis XIII. The aristocracy from the Marais came here to listen to orators such as Bossuet or musicians like Charpentier.

144 *Saint-Pierre-de-Montmartre* *(Église)*

9 **D3**

• 2, rue du Mont-Cenis (XVIIIᵉ) • Métro Abbesses
• Daily 8.45–19.00
• Concerts • Tel. 01 46 06 57 63

This little church, dominated by the neighbouring basilica of the Sacré-Cœur, was consecrated by the Pope in 1147. It is the only part of the abbey of the Benedictine nuns of Montmartre still extant. Rebuilt many times, it was saved from ruin by the artists of the area.

145 *Saint-Roch* *(Église)*

19 **D3**

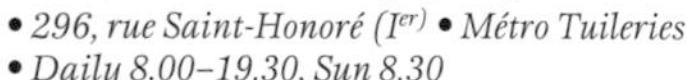

• 296, rue Saint-Honoré (Iᵉʳ) • Métro Tuileries
• Daily 8.00–19.30, Sun 8.30
• Concerts • Tel. 01 42 44 13 20

The external walls of this large parish church still bear traces of bullets: they are a reminder of Napoleon's repression of the royalist insurrection in 1795. The monument, started in the 17th c., was completed in the 18th c. with the financial help of the banker Law. This church contains the tombs of Corneille, Diderot and Le Nôtre as well as many works of art.

146 *Saint-Séverin* *(Église)*

24 **B2**

• 1, rue des Prêtres-Saint-Séverin (Vᵉ) • Métro Saint-Michel
• Daily 11.00–20.00, Sun 9.00–21.00
• Concerts • Tel. 01 43 25 96 63

The church of Saint-Séverin, damaged by fire, was rebuilt in the second half of the 15th c.; it is one of the most beautiful examples of flamboyant Gothic in Paris. The double ambulatory has often been compared to a palm grove. The neighbouring cemetery was enclosed by galleries serving as an ossuary, unique in the capital.

❶ ***Saint-Paul-Saint-Louis.*** *Facade.*
❷ ***Saint-Pierre-de-Montmartre,*** *seen from the Sacré-Cœur.*
❸ ***Saint-Roch.*** *Chapelle de la Vierge.*
❹ ***Saint-Séverin.*** *The double ambulatory.*

147 Saint-Sulpice *(Église)*

24 **A2**

- *Pl. Saint-Sulpice (VIe) • Métro Saint-Sulpice*
- *Daily 7.00–19.30*
- *Tel. 01 46 33 21 78 and 01 42 34 59 98*

This is where the serfs and farmers of the domaine of the abbey of Germain-des-Prés came to worship, as did the other inhabitants of the village. Today, it is the parish church in one of the most fashionable *quartiers* of Paris. The church was never completed as can be seen from the tower on the right.

148 Saint-Vincent-de-Paul *(Chapelle)*

23 **C2**

- *95, rue de Sèvres (VIe) • Métro Sèvres-Babylone*
- *Daily 7.00–12.00, 13.30–18.00*
- *Tel. 01 45 49 84 84*

The priests of the Mission are also known as Lazarists because the mission which was founded by Vincent de Paul first settled in the Saint-Lazare Priory. In 1827 a chapel was built with a solid silver shrine containing the remains of the saint who in 1638 founded the society of Enfants trouvés (Foundling Children).

149 Sainte-Élisabeth *(Église)*

21 **C3**

- *195, rue du Temple (IIIe) • Métro République*
- *Daily 8.00–18.00 (Fri–Sat 19.00), Sun 10.00–12.00*
- *Tel. 01 48 87 56 77*

Adorned with a beautiful classical facade, this church was started in 1628 and consecrated in 1646. It was for a time part of the convent of the nuns of Sainte-Élisabeth, then became a parish church in 1802. Its ambulatory is decorated with fine bas-reliefs in wood dating from the 17th c. which came from the abbey church of Saint-Vaast in Arras.

150 Sainte-Marguerite *(Église)*

16 **B1**

- *36, rue Saint-Bernard (XIe) • Métro Faidherbe-Chaligny*
- *Daily 9.00–12.00, 15.00–19.00, Sun 17.00–19.00*
- *Tel. 01 43 71 34 24*

Built in 1627, this church like many others was enlarged several times during the 18th c. to accommodate the growing number of faithful worshipping there. In 1795 it was said that Louis XVI's young son had been buried in the adjoining cemetery. But it has recently been proved that no child's remains were buried there.

1 ***Saint-Sulpice.*** *Facade.*
2 ***Saint-Vincent-de-Paul.*** *The saint's shrine.*
3 ***Sainte-Élisabeth.*** *Wooden bas-relief.*
4 ***Sainte-Marguerite.*** *Trompe-l'œil painting.*

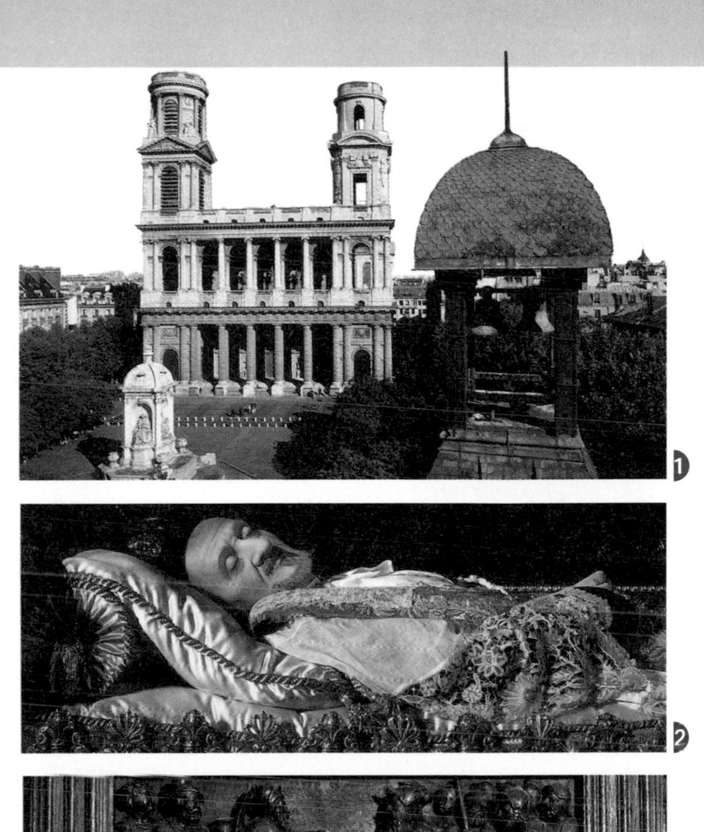

151 Salé (Hôtel de, and Musée Picasso)

21
D4

- *5, rue Thorigny (IIIe) • Métro Chemin-Vert or Saint-Paul*
- *Daily except Tue 9.30–17.30 • Guided tour Fri 15.00*
- *Tel. 01 42 71 25 21*

Pierre Aubert de Fontenay, a rich collector of the salt tax, gave the name Salé ('salted') to the Hôtel he built between 1656 and 1659. One of the largest of the Marais, it has a magnificent staircase with elegant wrought iron banisters and sumptuous carvings. It became the Musée Picasso in 1976. The collections reflect the many varied aspects of the artist's work through his paintings, sculptures, reliefs, collages, ceramics, drawings, prints, engravings, illustrated books and manuscripts.

152 Salpêtrière (Hôpital de la)

25
D4

- *47-83, bd de l'Hôpital (XIIIe) • Métro Saint-Marcel*
- *Chapelle Saint-Louis. Daily 8.30-18.30*
- *Tel. 01 42 16 00 00*

In 1656, a royal edict ordered the construction of a hospice on the site of the gunpowder factory created by Louis XIII. The name comes from saltpetre, one of the ingredients of gunpowder. La Salpêtrière was part of the Hôpital général, a kind of public assistance scheme designed to reduce the number of beggars and help solve their problems by housing the needy – men, women and children, whether consenting or not. The church in the shape of a Greek cross was designed by the king's architect Le Vau and built under the supervision of Bruant. The hospital housed a prison between 1684 and 1794 and was enlarged in the 19th and 20th c.

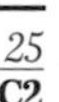

153 Sens (Hôtel de, and Bibliothèque Forney)

25
C2

- *1, rue du Figuier (IVe) • Métro Pont-Marie*
- *Guided tours on some Tue, Fri, Sat*
- *Bibliothèque: Tue–Fri 13.00–20.30, Sat 10.00–20.30*

When the archbishops of Sens came to Paris they stayed in this *hôtel*. From 1498 it was rebuilt in the Gothic style of the period, but by the end of the 17th c. it had become run down.

In 1916 it was bought by the city of Paris. Restoration work continued until 1962 when it became home of the library of books on the subjects of fine art, decorative art and applied arts built up in the 19th c. by the industrialist Forney.

1 ***Hôtel de Salé.*** *Grand staircase.*
2 *A room in the Musée Picasso.*
3 Portrait de Dora Maar.
4 ***Hôpital de la Salpêtrière.***
5 ***Hôtel de Sens.*** *Facade (detail).*

1

2

3

4

5

154 Sorbonne

24
B2

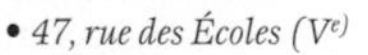

• *47, rue des Écoles (Ve)*

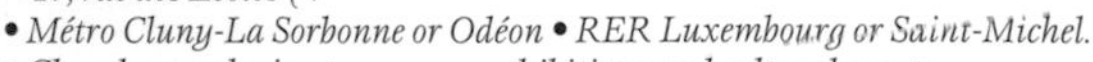

• *Métro Cluny-La Sorbonne or Odéon* • *RER Luxembourg or Saint-Michel.*
• *Church open during temporary exhibitions and cultural events*
• *Tel. 01 40 46 22 11*

The collège de Sorbon was founded in 1253 by Robert de Sorbon, chaplain of Saint Louis, to teach theology to poor students, a role it fulfilled until the Revolution. The buildings, commissioned by Cardinal de Richelieu, were erected in the 17th c. and rebuilt at the end of the 19th c.

Only the chapel was preserved as it was. Designed by the architect Lemercier, it was inspired by Baroque Roman churches such as the Gesù which at the end of the 16th had introduced the Counter-Reformation style which was to become increasingly popular.

Decorated with paintings by Philippe de Champaigne, it contains the tomb of Armand Jean du Plessis, Cardinal de Richelieu, carved by Girardon at the end of the 17th c.

155 Soubise *(Hôtel de, Archives nationales)*

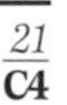

21
C4

• *Hôtel de Soubise: 60, rue des Francs-Bourgeois and 58, rue des Archives (IIIe)*
• *Hôtel de Rohan: 87, rue Vieille-du-Temple and 1, rue des Quatre-Fils (IIIe)*
• *Métro Saint-Paul*
• *Musée de l'histoire de France: daily except Tue 14.00–17.45*
• *Archives nationales (18 and over)* • *Tel. 01 40 27 60 96*

In 1704, Prince François de Soubise rebuilt the Hôtel de Guise which had replaced the former hôtel de Clisson and turned it into a magnificent palace. The following year he gave some adjoining land to his son who built a mansion on it, designed by his father's architect, Delamair. These two *hôtels* remained in the possession of the de Rohan family until the Revolution.

In 1808, the Hôtel Soubise became the home of the national archives while the Hôtel de Rohan was used to house the Imprimerie impériale (Imperial printing works), subsequently the Imprimerie nationale, until 1928 when it became part of the national archives.

The apartments of the Princesse de Soubise still have much of their original decoration. They now house a museum devoted to the history of France told through fascinating written documents.

The Hôtel de Rohan still has elegantly decorated 18th-c. rooms such as the music room and the Cabinet des Singes (Monkey room). Above the entrance to the stables is the *Chevaux du Soleil* (Horses of Apollo) carved by Le Lorrain in 1735.

❶ ***La Sorbonne.*** *Cour d'honneur.*
❷ *Chapel.*
❸ ***Hôtel de Soubise.*** *Seal of the Knights Templar (National archives).*
❹ *Great courtyard and facade.*

1

2

3

4

EATING, DRINKING, GOING OUT...

Paris has a very ancient culinary tradition and it has long been famous throughout the world for its cuisine. It is still very much the centre of French gastronomy. With about 5,500 restaurants altogether, it offers visitors to the city a wide variety of cuisine, ranging from the sophisticated dishes created by the great chefs to regional cooking, including exotic foreign food, simple salads, delicious platters of charcuterie...

As well as being a delight for gastronomes, Paris is a also a pleasure for anyone who enjoys café life, cabarets and night clubs. There is a wide choice of entertainments and shows catering for every taste, for the young and the not so young.

Every day innumerable little restaurants welcome a clientele of loyal regulars.

Above right: The dining room of the Tour d'Argent; *wonderful cooking and an unforgettable view.*

Maxim's *is another temple of fine cooking and a part of Parisian legend.*

Pleasures of the table

As long ago as 1577, the Venetian ambassador in Paris remarked that '*the French are always happy to spend money if it is for food or for what they call good living*'. This national trait is clearly reflected in the number and range of restaurants in Paris. The places known as '*bouillons*' which served meat dishes with '*restauratrices*' ('restorative') qualities, and which appeared in the first half of the 18th c. were in fact the first restaurants in the modern sense of the word. They began to take over from the

At Lasserre, *the roof is open to the stars when the weather is fine.*

Above right: The Ciel de Paris *in the Tour Montparnasse has a view over the whole city.*

Who can ever forget the quiet pleasure of an open-air café in the sunshine?

You read the menu on the blackboard in the window... You are tempted... You go in!

taverns, cabarets, rôtisseries and inns.

A few decades later these were followed by luxury restaurants. Several of these still exist today, such as the *Grand Vefour*, at Palais-Royal (Ier), the *Ledoyen* and *Laurent* on the Champs-Élysées (VIIIe), and *Drouant*, Place Gaillon (IIe), *Lapérouse* on the Quai des Grands-Augustins (VIe), the *Tour d'Argent* on the Quai de la Tournelle (V^{e}), and *Maxim's* in the Rue Royale. These traditional places continue to delight gourmet palates today with exquisite dishes formally served in magnificent surroundings, following well-established rituals.

More recently, restaurants have opened in places with panoramic views over Paris, such as the *Jules Verne*, on the second level of the Eiffel Tower (VIIe) and the *Ciel de Paris* in the Tour Montparnasse (XIVe). Les Halles still has

The famous Closerie des Lilas *bar. Hemingway had a reserved seat there.*

La Coupole, *recntly refurbished, is a monument of* Montparnasse.

Below: The tables of Marly... *and the Louvre before one's very eyes.*

Below left: Le Procope, *now to be a restaurant, is the oldest café in Paris.*

Jazz atmosphere in the bistro Eustache, *in Les Halles.*

Flore, *a high point of life in Saint-Germain-des-Prés.*

restaurants dating back to the market.

There are also countless local restaurants with excellent cooking at reasonable prices. Specialist guide books will help you choose what suits you best (see *Practical information*).

From beer to food

Brasseries owe their name to the place where beer was brewed. They first appeared in the second half of the 19th c. and quickly spread in the early 20th c. Meals were served with beer at all times of the day and night. The brasserie *Bofinger*, one of the earliest, founded in 1864 in the Rue de la Bastille (IVe), the brasseries *Lipp* and *Vagenende*, Boulevard Saint-Germain (VIe), *Flo*, Passage des Petites-Écuries

(X^{e}), *La Closerie des lilas*, *Le Dôme*, today famous for its fish dishes, and *La Coupole*, Boulevard Montparnasse (VIe-XIVe) have preserved their period decor. Some of these were (and are) very popular with famous artists, actors and writers.

The Lido, *magical performances on a stage of 6,000 square metres.*

The shows at the Crazy Horse Saloon *(below) have a universal reputation.*

Bottom:
Les Bains-Douches *before the place fills up in the evening.*

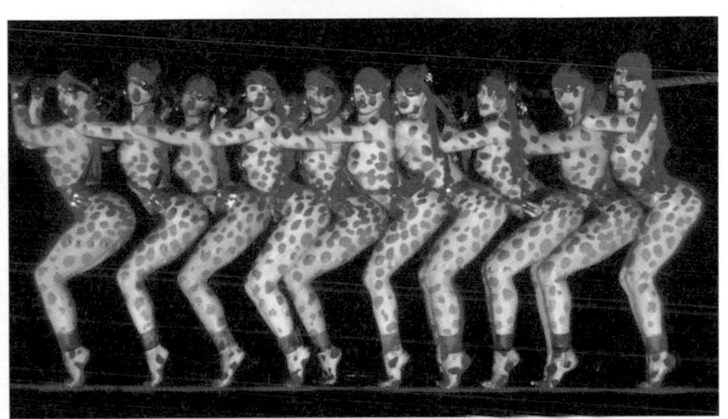

The Moulin Rouge *and the* Folies Bergère *are both legendary parts of night life in Paris.*

For instance, Hemingway wrote his novel *Farewell to Arms* in the brasserie *Lipp* and always had a place reserved for him at the bar of *La Closerie des lilas*. Painters like Foujita, Chagall, Matisse, Modigliani and Picasso used to meet in the brasseries of Montparnasse.

An institution

The Paris café is the perfect place to stop while out for a walk or for meeting friends; you can talk in

Boulevard de Clichy, with its neon light ablaze...

La Locomotive*: The largest discothèque in Paris, with three floors and three kinds of music.*

front of a cup of coffee or a glass of wine, or have a quick bite. The first café to become popular at the end of the 17th c. was *Le Procope*, still in the same place in the Rue de l'Ancienne-Comédie, although it is now a restaurant. During the centuries that followed, the number of cafés grew and they were patronised by the best of society. They also became meeting places for artists and writers. In the 1860s and 1870s the Impressionist painters would meet and exchange ideas at the café *Guerbois*, situated in the Avenue de Clichy, and at *La Nouvelle-Athènes*, Place Pigalle. *Le Café de Flore* and *Les Deux Magots*, which opened in the 19th c. on the Boulevard Saint-Germain (VIe) owe their fame to intellectuals and writers like Sartre, Simone de Beauvoir, Camus who spent long hours there during the 1950s.

The city at night

Lido, Crazy Horse Saloon, Moulin Rouge, Michou, Paradis latin, Folies Bergère: these famous music halls and revues illustrate the legendary image of Paris nightlife which tourists still look for today. All these venues compete with each other for the most exciting innovations in their attempts to attract the public. They recruit dancers and other artists

Harry's Bar *in the Rue Daunou: an address well-known to both Parisians and Americans.*

The Théâtre Marigny, *Carré Marigny (VIIIe), is one of the prettiest theatres in Paris.*

Le Splendid, *48, Rue du Faubourg-Saint-Martin (X^{e}). A temple of contemporary comedy.*

Since the time of Charles Dullin, theatrical creativity has always thrived at l'Atelier, *1, place Charles-Dullin (XVIIIe).*

with the greatest care, dressing them in the most magnificent costumes and constantly looking for new acts. There are also many discothèques such as *Les Bains Douches*, Rue du Bourg-l'Abbé, in the IIIe, *La Locomotive*, Boulevard de Clichy, in the XVIIIe, and *Le Palace*, Rue du Faubourg-Montmartre, in the IXe. You could also spend the evening in one of the bars, piano-bars or dance-bars such as *Harry's New York Bar*, a meeting-place for Americans in Paris, Rue Daunou, in the IIe, *Le Cristal Palace*, Boulevard de Sébastopol, in the Ier, or *What's up*, Rue Daval, in the XIe.

For jazz lovers, there are the jazz clubs of *Les Petites-Écuries* in the X^{e}, *Jazz-Club Lionel Hampton* in the Méridien or *Hot Brass* in the Parc de la Villette. Karaoke has recently arrived in Paris from Japan. Restaurants or bars invite their guests to sing with pre-recorded music while reading the words on a large screen.

But visitors might prefer opera or ballet, concerts of classical music, jazz or rock (at the *Zénith* or at *Bercy*). There is also a wide range of plays and films on offer, either in French or in their original version in cinemas like *Le Grand Rex* and *La Pagode* with its very original decor (see *Practical information*).

L'Eldorado *at 4, Boulevard de Strasbourg (X^{e}). Once known for operetta and music-hall, it is now a theatre.*

156 *Trinité* (*Église de la*)

19
D2

- *3, rue de la Trinité (IXe) • Métro Trinité • Daily 7.15-19.00, Sun 9.00–13.00, 18.00–20.15 • Concerts 12.45–13.30; often charge in evening*
- *Guided tour second Sun in the month 15.00 • Tel. 01 48 74 12 77.*

Favoured by high society, this church in the Renaissance style dating from the 19th c. has a sizeable porch which enabled the faithful to leave their carriages without suffering from the elements.

---

157 *Tuileries* (*Jardin des*)

8
C6

- *Entre pl. de la Concorde and pl. du Carrousel (Ier)*
- *Métro Concorde, Tuileries, Palais-Royal-Musée du Louvre*
- *Daily 7.30-19.30 (winter) ; 7.00–21.00 (summer)*

In 1664, Le Nôtre replaced the Italian style garden laid out for Marie de Médicis in the previous century by a beautiful French style garden. The Tuileries gardens and those of the Carrousel cover 30 ha (74 acres); they were poorly maintained and had deteriorated over the years. The restoration of the gardens started in 1991.

---

158 *UNESCO* (*Maison de l'*)

22
B2

- *7, pl. de Fontenoy (VIIe) • Métro Ségur*
- *Mon–Fri 9.00–12.30, 14.30–18.00 • Group visits at 9.30 and 14.30.*
- *Tel. 01 45 68 03 59*

Since 1946, the aim of UNESCO, the educational section of the United Nations, has been promote education, science and culture throughout the world. Its headquarters in Paris were designed by an international team of architects. Artists including Calder, Moore, Giacometti, Miro, Artigas and Picasso took part in the decoration of the five buildings of the UNESCO headquarters.

---

159 *Val-de-Grâce*

24
B4

- *1, pl. Alphonse-Laverand (V^e^)*

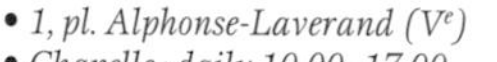

- *Chapelle : daily 10.00–17.00*

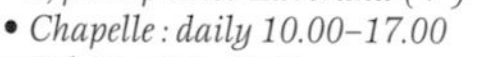

- *Tel. 01 40 51 45 75*

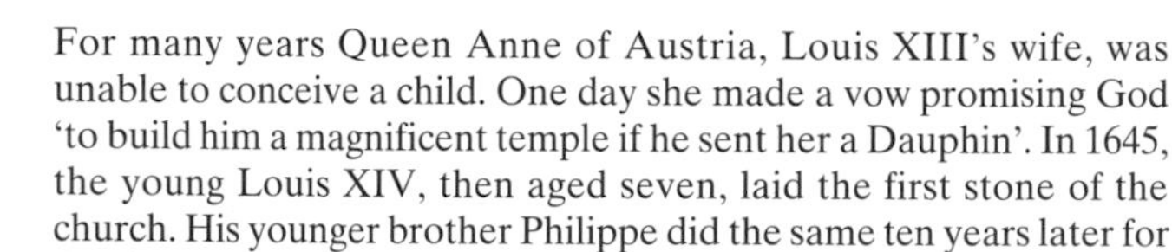

For many years Queen Anne of Austria, Louis XIII's wife, was unable to conceive a child. One day she made a vow promising God 'to build him a magnificent temple if he sent her a Dauphin'. In 1645, the young Louis XIV, then aged seven, laid the first stone of the church. His younger brother Philippe did the same ten years later for the Benedictine abbey which was built around it.

1 ***Église de la Trinité.***
2 ***Jardin des Tuileries.***
3 ***Val-de-Grâce.***

1

2

3

160 Vendôme *(Place)*

8
C5

• *(Ier) • Métro Opéra ou Tuileries*
• *Ext*

The Place Vendôme was designed at the end of the 17th c. by Hardouin-Mansart, assisted by Boffrand. Elegant arcaded facades like scenery were set up round the square; the buildings came later, various *hôtels* being built over several years, but to a unified design. In 1806, Napoleon I decided to place a column in the middle of the square, similar to Trajan's column in Rome. It was completed in 1810.

161 Victoires *(Place des)*

9
D5

• *(Ier et IIe)*
• *Métro Bourse*
• *Ext*

In 1865, Hardouin-Mansart was asked to design a perfect setting for a statue of Louis XIV. The result was the Place des Victoires, 78 m (256 feet) in diameter, with beautiful facades, some of which were partly demolished in the 19th c. The gilded bronze statue was taken apart and melted down 1792. It was replaced by another in 1822.

162 Victor Hugo *(Maison de)*

25
D1

• *6, pl. des Vosges (IVe) • Métro Bastille, Saint-Paul ou Chemin-Vert*
• *Daily except Mon and public hols 10.00–17.40*
• *Guided tours • Tel. 01 42 72 10 16*

The great writer lived in this beautiful *hôtel* from 1832 to 1848. It is now a museum where his life and works are illustrated with books, drawings, paintings, photographs and furniture.

163 Ville *(Théâtre de la)*

24
B1

• *2, pl. du Châtelet (IVe)*
• *Métro Châtelet*
• *Events • Tel. 01 42 74 22 77*

The Théâtre Lyrique which became the Théâtre de la Ville is situated opposite the Théâtre du Châtelet; it too was built in 1862 to the plans of the architect Davioud. Between 1899 and 1923, it was managed by the great actress Sarah Bernhardt who produced plays such as Rostand's *L'Aiglon* and *La Dame aux Camélias* by Dumas fils.

1 ***Place Vendôme.*** *The column.*
2 ***Place des Victoires.*** *Statue of Louis XIV.*
3 ***Maison de Victor Hugo.*** *Bust of Victor Hugo by Rodin.*
4 *The Chinese room.*
5 ***Théâtre de la Ville.*** *The foyer.*

1

2

3

4

5

164 Villette (Parc de la)

10
C2

- *Av. Jean-Jaurès (XIXe)*
- *Métro Porte de Pantin*

In 1970 the construction of the new abattoirs of La Villette turned out to be a financial disaster. This was further aggravated by the fact that modern methods of slaughtering animals had made these abbatoirs redundant. As a result, the government decided to stop the work and the abattoir itself was closed down four years later.

From abattoirs to gardens In 1976, President Giscard d'Estaing decided to transform the area by building a science and technology museum and a musical centre with concert hall, set in attractive gardens. At 35 ha (86 acres) these gardens are the largest in the capital. They were designed by Bernard Tschumi in 1983. They are organised around the Galerie de l'Ourcq and the galerie de la Villette, built at right angles, and a number of 'follies' – little constructions built of concrete and metal, painted red – which act as landmarks, and are used to houses attractions or services. The theme garden with its many games is very popular with children.

At the centre of the park stands the iron structure of the great hall of La Villette, the old cattle market of the abattoirs built in 1867. Converted into a flexible space, it is now used for exhibitions and concerts. To the east, the Zénith, with 6,000 seats, is the venue for rock music and associated events.

165 Villette (Rotonde de la)

21
D1

- *Pl. Stalingrad (XIXe)*
- *Métro Jaurès or Stalingrad*
- *Ext, and Int during rare temporay exhibitions*

The fiscal wall of the Fermiers généraux (tax farmers), erected around Paris between 1785 and 1789, was punctuated by 54 toll houses designed by Ledoux. Today only four still survive: they are the Rotonde de la Villette, the Rotonde de Chartres, situated at the entrance of the Parc Monceau, the Bureaux du Trône, on the Place de la Nation, and the one at Denfert-Rochereau.

The population took this barrier very badly and expressed its extreme displeasure in the now famous words: 'Le mur murant Paris rend Paris murmurant' (the wall enclosing Paris makes Paris mutter). The levying of taxes on goods entering Paris was discontinued during the German occupation in August 1943.

1 ***Parc de la Villette.*** *The great hall.*
2 *A 'folly'.*
3 *Canal de l'Ourcq.*
4 ***Rotonde de la Villette.***

1

2

3

4

166 Vosges (Place des)

15
F1

- *(IVe)*
- *Métro Saint-Paul, Bastille or Chemin-Vert*

In 1605 Henri IV conceived the idea of a *place* 'which would be like a promenade for the people of Paris who are crowded in their houses… as well as being a place where large scale festivities could be held'.

The twin pavilions The square is 140 m (459 feet) long and 127 m (417 feet) wide. The king reserved the south side for himself. The other three sides were available to private individuals who, however, had to undertake to build identical two-storey pavilions in brick and stone, supported by arcades. The pavilions of the king, to the south, and the queen, to the north, were never inhabited by either of them. The square was inaugurated in April 1612 with a splendid parade. In 1639, Cardinal Richelieu commissioned a statue of Louis XIII to be installed in the centre of the square.

The gardens were laid out during the reign of Louis XIV. For the exclusive use of the residents, they were enclosed by wrought iron railings in 1682, planted with lime trees in 1783, adorned with fountains and new railings in 1838 and converted to public gardens in 1905.

The square quickly became the aristocratic quarter of the Marais. Madame de Sévigné was borne there, and Bossuet, Hugo, Daudet and Gautier lived there. The Place Royale which had become the Place des Fédérés in 1793, and in 1800 it was renamed Place des Vosges in honour of the first département to pay its taxes.

167 Zadkine (Musée)

24
A3

- *100 bis, rue d'Assas (VIe)* • *Métro Notre-Dame-des-Champs, Vavin or Port-Royal*
- *Daily except Mon 10.00–17.30* • *Guided tours* • *Tel. 01 43 26 91 90*

The sculptor Ossip Zadkine lived here from 1928 until his death in 1967. His house has been converted into a museum which is devoted to the carreer of the artist. The 300 works on displayillustrate the development of his art from Cubism to Expressionism and the abstract. He worked in wood and stone, as well as in bronze and clay. One of the rooms contains a model of the Ville détruite, his most famous sculpture, commissioned by the town of Rotterdam after the Second World War.

1 ***Place des Vosges.*** *Entrance from the Rue de Birague.*
2 *Fountain (detail).*
3 *Garden.*
4 ***Musée Zadkine.***

1

2

3

4

HIDDEN, MYSTERIOUS UNKNOWN PARIS

Formal Paris has its monuments, its Haussmann buildings which line the broad boulevards of the capital in an orderly, manner, its tamed river, its elegant boutiques and its famed restaurants. But the city still has many secrets to reveal. You will discover them as you stroll aimlessly along the streets, going further afield, off the beaten track, glancing through half-open gateways at things normally ignored. Of course, there are some fascinating places which are not open to the public, which can only be imagined or admired in photographs.

Right: The Orthodox church of Saint-Serge, Rue de Crimée.

Far right: A window in the Goutte d'Or.

Below: A little Chinese restaurant in the Rue de Belleville.

When the 13th arrondissement lives to the rhythm of the festival of the Chinese New Year.

A cosmopolitan city

Paris is a universal city as is reflected in some of its buildings and *quartiers*. For instance, concealed behind the facade of 7 Boulevard Beauséjour (XVIe) are some isbas dating from the time of Tsarist Russia which have been left over from the Universal Exposition of 1867. At 93 Rue de Crimée (XIXe), and 91 Rue Lecourbe (XVe), the Orthodox churches of Saint-Serge and Saint-Séraphin-de -Satow remind us that there was a large Russian community in Paris after the 1917 Revolution. The XIIIe and the

The Chinese palace in the Rue de Courcelles.

The smallest house in Paris is hidden in the Rue du Château-d'Eau.

Belleville quarter have a large Asian population who settled there some 20 years ago. There are many ethnic restaurants and shops in the area and the celebrations for the Chinese New Year have become a joyful, lively tradition. The *quartier* of the Goutte d'Or (XVIIIe), on the other hand, has a strong Maghreb atmosphere.

Joan of Arc from a wall in the Place André-Malraux.

La Ruche, a rotunda for artists and their studios.

Older buildings include the Pagode, Rue de Babylone (VIIe), dating from 1895 and formerly part of the Chinese Legation, now a cinema; and the Chinese Palace in the Rue de Courcelles (VIIIe). The house at 39, Rue du Château-d'Eau (X^{e}), itself very French, is an amazing sight: it is the smallest house in Paris. The Place André-Malraux has another kind of surprise for the visitor: a bust of Joan of Arc, apparently emerging from the wall, and a commemorative plaque reminding us that the young girl from Lorraine was wounded here in 1429, on the former site of the Porte Saint-Honoré. In the Rue Cassini are three beautiful *hôtels* which are used as workshops. The Rotonde des Vins, erected for the 1900 Universal Exposition, was rebuilt at 2, Passage Dantzig (XVe) on the initiative of the sculptor Boucher. This polygonal building is known as the *Ruche* (beehive), and it is divided into 24 studios. Its occupants have included some of the greatest artists of the 20th c. such as Léger, Brancusi, Zadkine and Chagall. Numerous contemporary artists including painters, sculptors and engravers continue to work there,

Reserved for people staying in the hotel and for members, the superb swimming pool in the Ritz *is 17 m (56 feet) long.*

The old Gare de Charonne (below), on the inner circle railway, is now the Flèche d'or *café.*

as they do in many other workshops in the city.

In some Paris buildings, more particularly in the great luxury hôtels, elegance is often combined with a quiet, peaceful decor. For instance, some have swimming pools which are light-years away from the dust of the Paris streets and the old municipal baths of the not so distant past when many apartments had no bathroom.

Fallen into disuse

There are parts of the *petite ceinture* (inner ring) railway line which have retained a pleasingly nostagic charm in some places: abandoned for many years, they have not yet been renovated. From the café of *La Flèche d'Or* (102bis, Rue de Bagnolet, in the XXe), situated in the converted station of Charonne you can gaze at the old tracks on which the steam train known as the Flèche d'Or (Golden Arrow) can be seen travelling now and again.

The zero point

On the square in front of Notre-Dame (IVe), passers-by often wonder about the meaning of the heavy bronze plaque set in the paving, decorated with a star and the coat of arms of Paris. It is the *point zéro* or zero point, established officially in 1787, from which the distances from Paris on all the roads of France are measured.

Beneath the pavements

There is a whole network of underground passages beneath the city. The old lime quarries consist of numerous galleries which been used for all sorts of purposes: as wine cellars, since 1785 as catacombs (see p. 80), since 1840 for growing mushrooms (known as 'Paris mushrooms'), as bomb shelters during the First World War, and as fortified head-

The 'zero point' on the Parvis Notre-Dame.

quarters for the Germans as well as command posts for the Resistance during the Second World War.

Total concentration by the players of billiards.

The enormous works of the Éole transport network (Gare de Condorcet).

There are also large underground water-reserves. Thus, the basins of the Montsouris reservoir (XIVe), arranged on two levels, contain some 200 million litres (44 million gallons) of water.

The impressive control room of the RATP (the organisation which which runs the Métro, RER and the buses) is also underground (visit: tel. 01 48 04 14 86). The vast network of underground sewers, so often pictured in films and mentioned in books, is also open to the public (Place de la Résistance, in the VIIe, at the left bank end of the Pont de l'Alma, on the corner of the Quai d'Orsay). And quite often, large construction sites like that of the Éole transport network, completely disturb the Paris sub-soil.

Bikes, horses and billiards

On Friday evenings, bikers meet up on the Place de la Bastille (IVe-XIe-XIIe) to discuss the object of their passion, exchange information, or obtain spare parts. The roar of their big cylinders is like a distant echo to the clattering of the horses of the Republican Guard, as they leave or return to their quarters on the Boulevard Henri-IV, in the IVe.

But all this noise and excitement does seem to distract the concentration of card players and people playing snooker. Billiard enthusiasts should know that one of the most beautiful halls in Paris is at the Académie de billiard de la Rue de Clichy (IXe)

Right: Thanks to the Garde républicaine, (Republican Guard) horses have not completely deserted Paris.

The RATP control room.

KEY TO THE ITINERARIES

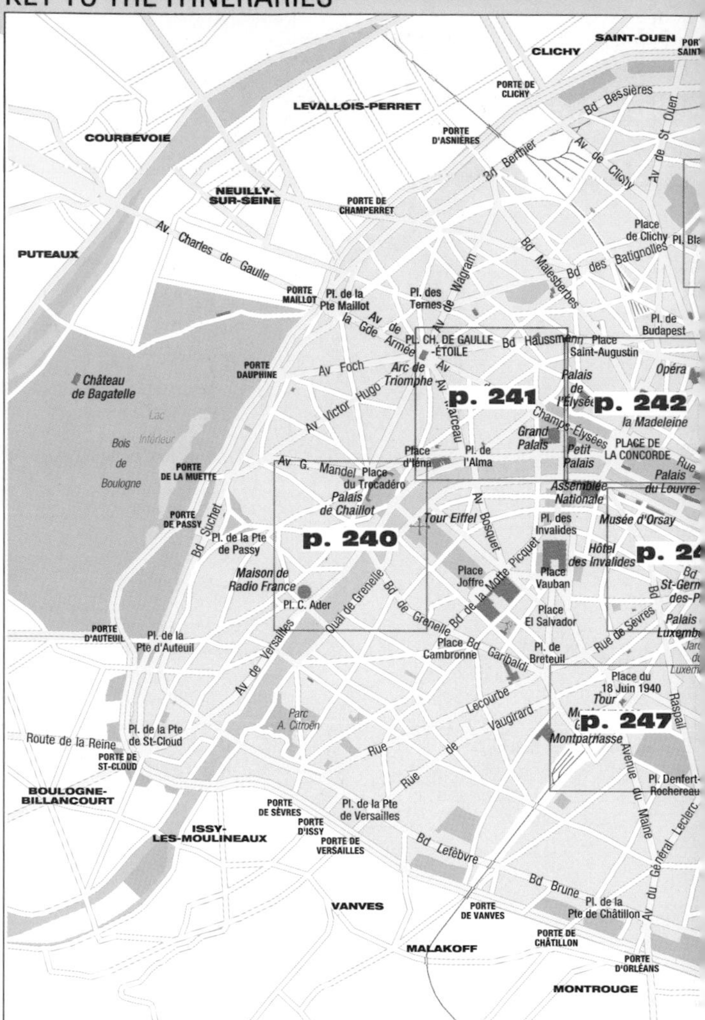

Walk itineraries

The page numbers in the above map refer to detailed maps of walk itineraries. These itineraries, which are shown as a continuous blue line (variants and supplementary routes are dotted), do not pretend to cover the whole city, and you will be able to arrange your walk, in your own way, using the map and the directory of monuments. Scale of the maps 1/17 000e (1cm = 170 m)

Key

M Metro (underground Station)

R RER (Regional Express Network) station

- Beauty spot or monument mentioned in the text
- Beauty spot or monument not mentioned in the text
- Pubblic building mentioned in the text
- Pubblic building not mentioned in the text
- Park
- Expressway
- Major road
- Street
- Pedestrianized street
- Itinerary, walk
- Alternative itinerary

The Eiffel Tower, Chaillot, Passy

Walk from the Eiffel Tower through the Chaillot and discover some fine 20th-c. buildings, then continue on to the more modest remains of the old village of Passy which was integrated into Paris in 1860.

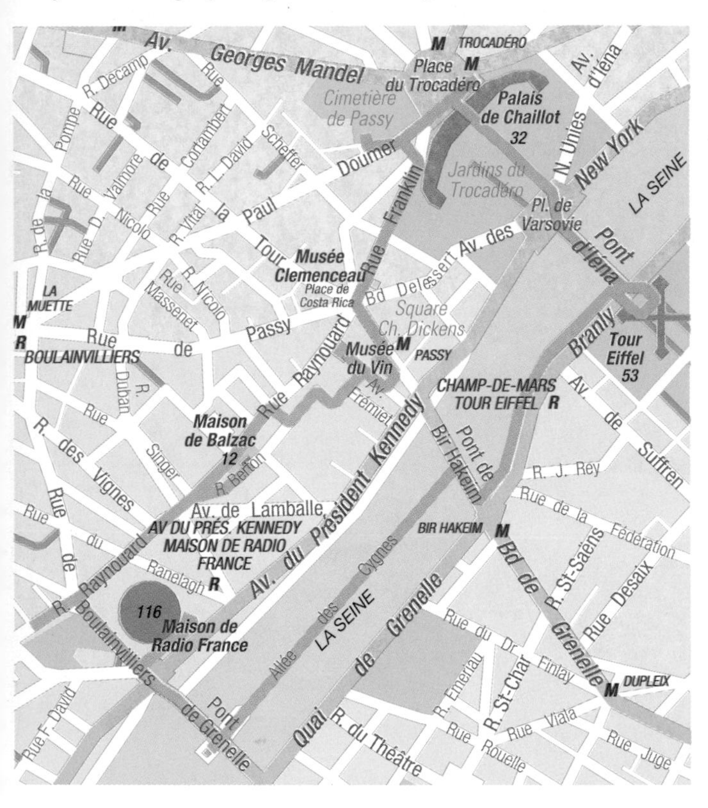

From the **Eiffel Tower (53)** and the **Champs-de-Mars (52)**, cross the Pont d'Iéna to the gardens of the Trocadéro, below the **Palais de Chaillot (32)**. Cross the Place du Trocadéro in the direction of the Passy cemetery, where Manet, Debussy, Giraudoux and Fernandel are buried. At 25, Rue Franklin notice the building made of reinforced concrete, erected in 1903 by the Perret brothers. At number 8 in the same street is the Musée Clémenceau (tel. 01 45 20 53 41).

At 5 Square Charles-Dickens, visit the Musée du Vin (tel. 01 45 25 63 26). Then go to the Rue Berton: on the right is the **Maison de Balzac (12)**. Walk down the Rue Raynouard to the **Maison de Radio France (116)**. Start crossing the Pont de Grenelle, walking on the left side. Halfway across, go down the steps leading to the Allée des Cygnes. At the end is a replica of the Statue of Liberty, one-fifth of the size of the one in New York. Now walk back up the Allée towards the Pont de Bir-Hakeim.

The Champs-Élysées, L'Étoile

The quartier of Haute Couture and the casinos which used to brighten up the evenings during the Roaring Twenties, the area of the Champs-Élysées is a centre of business, tourism and nightlife. Let yourself be charmed by the most beautiful avenue in the world.

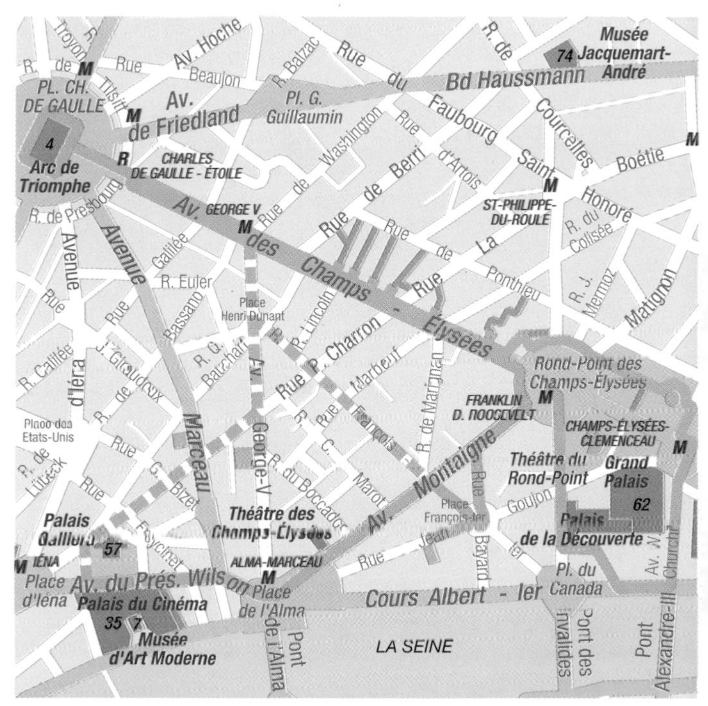

Start at the **Musée d'Art moderne de la Ville de Paris (7)** and cross the Place de l'Alma towards the Avenue Montaigne. Walk along it to the Rond-Point des Champs-Élysées, crossing the Place François Ier. Notice the windows display of the famous couturiers and the theatre of the Champs-Élysées, built at the beginning of this century and decorated by the sculptor Antoine Bourdelle. Now walking up the avenue on the right side, you will pass in succession the Galeries Élysées-Rond-Point, Élysées 26, Élysées-La Boétie, Point-Show, Claridge, the Arcades du Lido and the Galerie des Champs. At 68, the Guerlain building, erected in 1913.

After visiting the **Arc de Triomphe (4)**, walk down the Champs-Élysées on the left side. At 127 is the Paris Tourist Office; at 25 the sumptuous *hôtel* of la Païva, a 19th-c. courtesan born in Moscow who became a Portuguese Marchioness, then a German Countess. Continue walking along the gardens of the Champs-Élysées bordering the avenue beyond the Rond-Point. On the right is the Théâtre du Rond-Point and further along, the **Grand Palais** and the **Palais de la Découverte (62)**.

La Concorde

This elegant quartier runs from the Madeleine to the Opéra, including the Place de la Concorde and the Place Vendôme. It is an area famous for its handsome buildings and luxury shops with magnificent window displays.

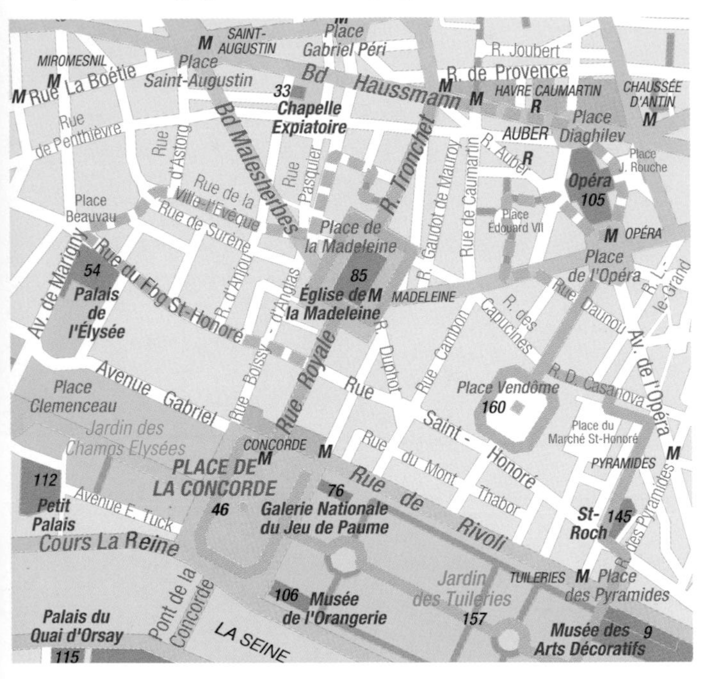

From the Métro Havre-Caumartin, next to the Printemps department store, walk down the Rue Tronchet to the Place de la Madeleine. On the right of the church are the luxury *traiteur* Fauchon with its delectable delicacies, and the flower market; on the left, the luxury delicatessen Hédiard and the kiosk of the Madeleine which sells theatre tickets for the same day at reduced prices. Continue along the Rue Royale. On the left are the Ladurée tea rooms; on the right, Maxim's restaurant. From the **Place de la Concorde (46)**, walk to the entrance of the **Tuileries Gardens (157)** on your left. Cross the garden to the other end. Turn left and cross the Rue de Rivoli towards the Place des Pyramides, then the Rue des Pyramides. Here take the Rue Saint-Honoré on the left, then the picturesque Rue Saint-Roch on the right, with the **church of Saint-Roch (145)**.

At the end of the street, take the Rue Gomboust on the left which leads to the charming Place du Marché-Saint-Honoré; in it is a building designed by Ricardo Bofill. Continue along the Rue du Marché-Saint-Honoré, on the right, then turn left in the Rue Danielle-Casanova which will take you to the **Place Vendôme (60)**, famous for its great jewellers. Walk up the Rue de la Paix to the **Place de l'Opéra (105)**.

The Palais-Royal, Les Halles

This historic quarter which traces the life of the kings of France and the people of Paris is situated between the Palais-Royal and the Hôtel de Ville. Today this area has become an important cultural and commercial centre.

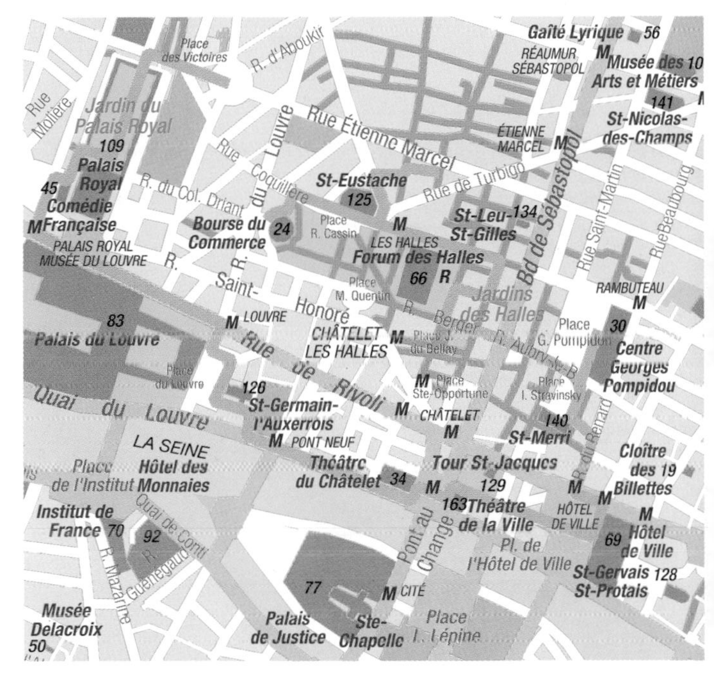

From the **Place des Victoires (161)**, take the Rue de Beaujolais to the **Gardens of the Palais-Royal (109)** which you cross in the direction of the **Comédie-Française (45)**. Go to the Rue de Rivoli and walk along the **Palais du Louvre (83)** in the direction of the Place du Louvre and the **church of Saint-Germain-l'Auxerrois (126)**.

Follow the embankment towards the Place du Châtelet, the **Tour Saint-Jacques (129)** and the **Place de l'Hôtel-de-Ville (69).** Now take the Rue du Renard and turn left towards the Place Igor-Stravinsky, with its entertaining kinetic fountain by the sculptor Jean Tinguely and Niki de Saint-Phalle.

To see what is going on at the **Centre Georges-Pompidou (30)**, walk down to the square in front where musicians, jugglers and portrait painters gather. Go back to the Place Igor-Stravinsky and take the Rue Aubry-le-Boucher. Cross the Boulevard de Sébastopol, take the Rue Berger and stop on the Place Joachim-du-Bellay with the beautiful fountain of the Innocents (16th c.). Nearby is the Forum des Halles. Take the Rue Rambuteau to go to the **church of Saint-Eustache (125)** and the **Bourse du commerce (24)**.

The Marais, the Bastille

The Marais is where you will find the aristocratic heart of Paris. The luxury* hôtels *bequeathed by princes and noblemen and the Place des Vosges conceived by Henri IV make this quarter the most beautiful in Paris.

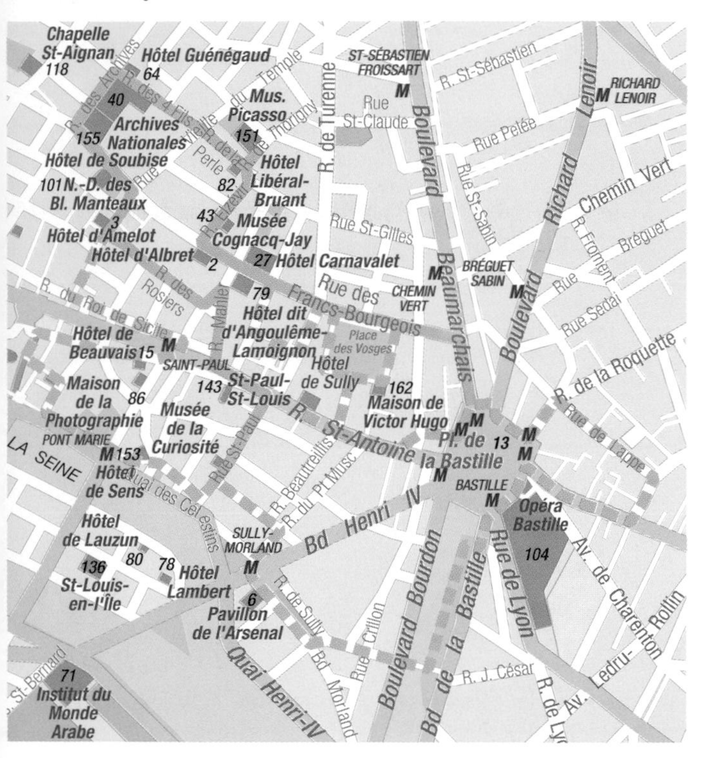

From the Métro Sully-Morland, go to the Quai des Célestins and take the Rue Saint-Paul on the right. At the Rue Saint-Antoine, the **Church of Saint-Paul-Saint-Louis (143)** is on the left and on the right, facing you, the beautiful Hôtel de Sully. Walk up the Rue Saint-Antoine (which becomes the Rue de Rivoli) on the even-numbered side, go past the church, turn into the Rue Mahler, then take the Rue des Rosiers on the left which is the centre of the Jewish quarter. At the end turn right into the Rue Vieille-du-Temple, then left into Rue des Francs-Bourgeois, then right again into the Rue des Archives. Walk round the **Hôtel de Soubise (155)** and go down the Rue des Quatre-Fils, then the Rue de la Perle; at number 1, the **hôtel Libéral-Bruant (82).** On the left, the Rue de Thorigny and the Hôtel Salé, the **Musée Picasso (151).** Go back in the direction of the Rue des Francs-Bourgeois via the Rue Elzévir; at number 8, the **Musée Cognacq-Jay (43).** Walk along the **Hôtel Carnavalet (27)** until you reach the **Place des Vosges (166)** and **Victor Hugo's house (162).** Finish at **Place de la Bastille (13).**

Belleville, Les Grands Boulevards

Strolling along the sloping streets of Belleville you discover the real atmosphere of the old Paris, while the Grands Boulevards are where you will see the elegant representatives of Haussmann's city.

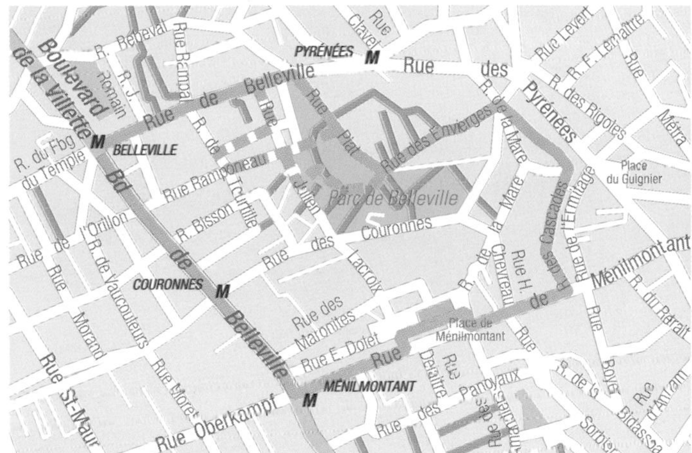

Walk down the Boulevard de Belleville (large market Tue and Fri) until you get to the Rue de Ménilmontant. Turn left into the Rue de la Cascade as far as the Rue des Envierges. Turn left. From the Rue Piat, you have magnificent views across the capital. Finish with the Rue de Belleville.

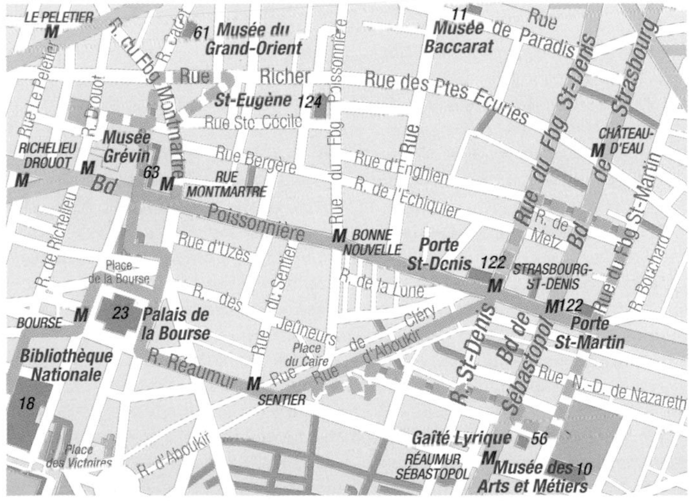

From the **Bibliothèque nationale (18),** go to the **Place de la Bourse (23).** Walk down the Rue de Réaumur and turn into the Rue d'Aboukir. Pass the Place du Caire (at number 2, an Egyptian facade) and continue to the **Portes St-Denis and St-Martin (122).** Return by the Grands Boulevards.

Montmartre

Why not spend a day strolling through Montmartre and its picturesque sloping streets, then watch the world go by while you relax at an outdoor table of a café in the Place du Tertre?

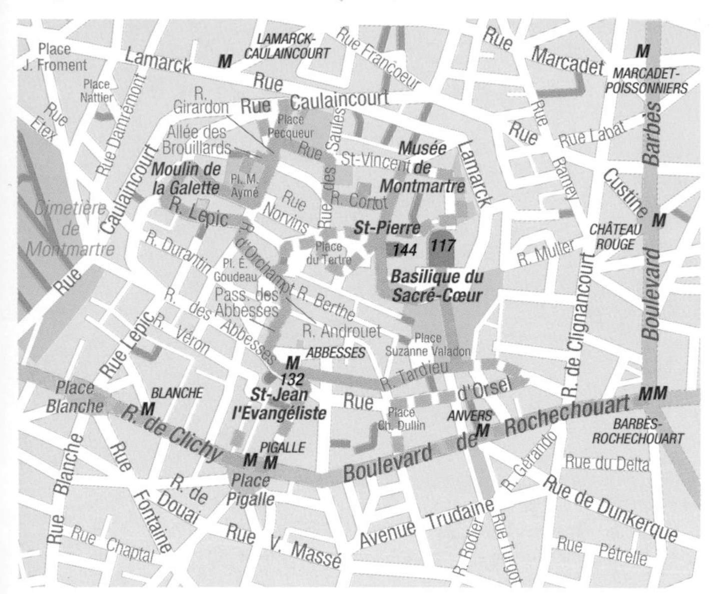

Coming out of the Métro Abbesses, notice the Hector Guimard entrance. At number 19 of the lively Rue des Abbesses is the **church of Saint-Jean-l'Évangéliste de Montmartre (132)**. Just past the Place des Abbesses, take the Passage des Abbesses, on the even-numbered side. The steps at the end lead to the Rue Androuet which itself leads to the Rue Berthe. Turn left towards the pretty Place Émile-Goudeau. Continue along the Rue d'Orchampt; at number 1bis is the house of the singer Dalida. You now come to the Rue Lepic; on the left, the Moulin de la Galette which is what remains of the old windmills of the Butte of Montmartre. Walk up the Rue Giradon on the other side of the Rue Lepic. On the right is the Place Marcel-Aymé at the end of which is the *Passe-Muraille* sculpture. Further down, on the left, the Allée des Brouillards is dominated by the 18th-c. Château des Brouillards. But take the Rue de l'Abreuvoir, on the right, which leads to the Rue des Saules. Notice the famous vines of the Butte; lower down are the old cabaret Le Lapin agile and the little cemetery of Saint-Vincent. Continue along the Rue Cortot, more or less opposite the Rue de l'Abreuvoir. At number 12 is the Musée de Montmartre. Now walk up the Rue Cortot towards the Rue du Mont-Cenis; at number 2, the **church of Saint-Pierre de Montmartre (144)**. Take the Rue Norvins to reach the Place du Tertre. Follow the Rue Éleuthère to go to the **Basilique du Sacré-Cœur (117)**. There is a magnificent view of Paris from the porch. At the bottom of the steps turn right to return to the Place des Abbesses.

Montparnasse

In Bohemian times this quarter was home to many artists such as Picasso, Modigliani, Kandinsky and Max Ernst. It is still popular with artists and sculptors who work in the many studios here.

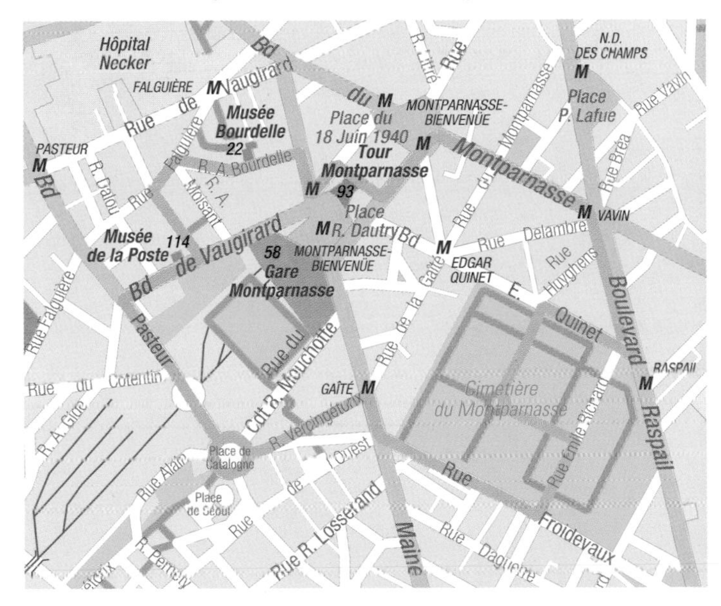

From the Métro Raspail, walk down the Boulevard Edgar-Quinet to the entrance of the Montparnasse cemetery where you can visit the tombs of many famous people. Cross the cemetery in the direction of the Rue Émile-Richard exit, coming out near the Rue Froidevaux. Walk along the cemetery until you get to the Avenue du Maine. Turn left into the Rue Vercingétorix. You will reach the Place de Catalogne which is surrounded by neo-classical buildings designed by the architect Ricardo Bofill. In the centre is the beautiful fountain known as Le Creuset du temps (the crucible of time). Walk around the *Place* until you reach the Rue du Commandant-René-Mouchotte. Turn left and walk along the **Gare Montparnasse (58)**. Now take the Boulevard de Vaugirard; at number 34, is the **Musée de la Poste (114)**. Next to the museum, the Galerie Vaugirard brings you to the Rue Falguière. Turn right into the Rue Antoine-Bourdelle; at number 16, the **Musée Bourdelle (22)**.

Walk down the Avenue du Maine towards the Place Raoul-Dautry, dominated by the **Tour Montparnasse (93)**. Cross the shopping mall adjoining the tower, towards the Place du 18-Juin-1940. Turn right into the Boulevard du Montparnasse. Here are the former Brasseries Le Sélect and La Coupole with their 1920s architecture and the brasseries La Rotonde and Le Dôme. At the Vavin crossroads take the Rue Delambre on the right, go to the Rue de la Gaîté where you can see the Théâtre de la Gaîté Montparnasse, the Théâtre Montparnasse and Bobino.

Saint-Germain-des-Prés and its area

Today the Faubourg Saint-Germain is the quarter of embassies and ministeries, housed in the sumptuous* hôtels *of the old aristocracy. Situated right in the centre of political life, it has also attracted publishers, intellectuals, antique dealers and brokers.

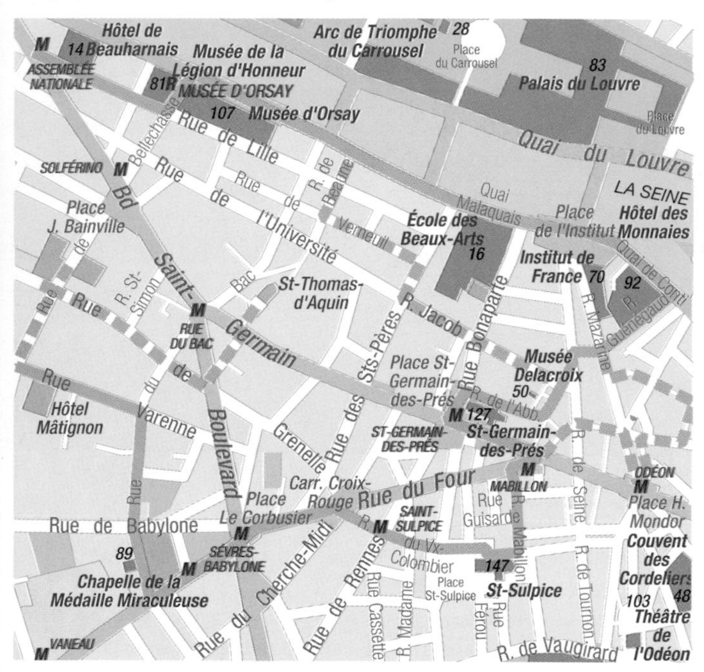

Walk up the Rue de Lille; at number 78 is the **Hôtel de Beauharnais (14)**; turn left into the Rue de Bellechasse with the **Palais de la Légion-d'Honneur (81)** and the **Musée d'Orsay (107).** At the *quai*, turn right. The **École des beaux-Arts (16)** is at 17, Quai Malaquais, the **Institut de France (70)** at 21, Quai de Conti, and the **Hôtel des Monnaies (92)** at number 11. Leave the Quai de Conti by the Rue Guénégaud and Rue Jacques Callot. Then turn left into the Rue de Seine, right into the Rue Jacob and left into the Rue de Furstenberg; the **Musée Delacroix (50)** is at number 6. At the end of the street take the Rue de l'Abbaye on the right, then the Rue Bonaparte on the left. The **church of the Abbaye (127)** is on the Place Saint-Germain-des-Prés. Cross the Bd. Saint-Germain and, turning to the left, walk to the Rue Mabillon. Once in the Rue Mabillon walk along the Marché Saint-Germain. Turn right into the Rue Saint-Sulpice. In the *place* is the **church of Saint-Sulpice (147)**. Take the Rue du Vieux-Colombier, cross the Rue de Rennes and continue to the crossroads of the Croix-Rouge (Statue by César, *Homage to Picasso*). Follow the Rue de Sèvre on the left to the Rue du Bac, on the right. The **Chapel of the Médaille miraculeuse (89)** is at number 140. Then walk along the Rue de Varenne: on the left, the **Hôtel Matignon** and the **Hôtel Biron (20)**.

The Latin Quarter

With its universities and colleges, some of which were founded in the Middle Ages, the Quartier Latin has remained one of the intellectual centres of the capital. It has many fine buildings and monuments evocative of the very long history of the city.

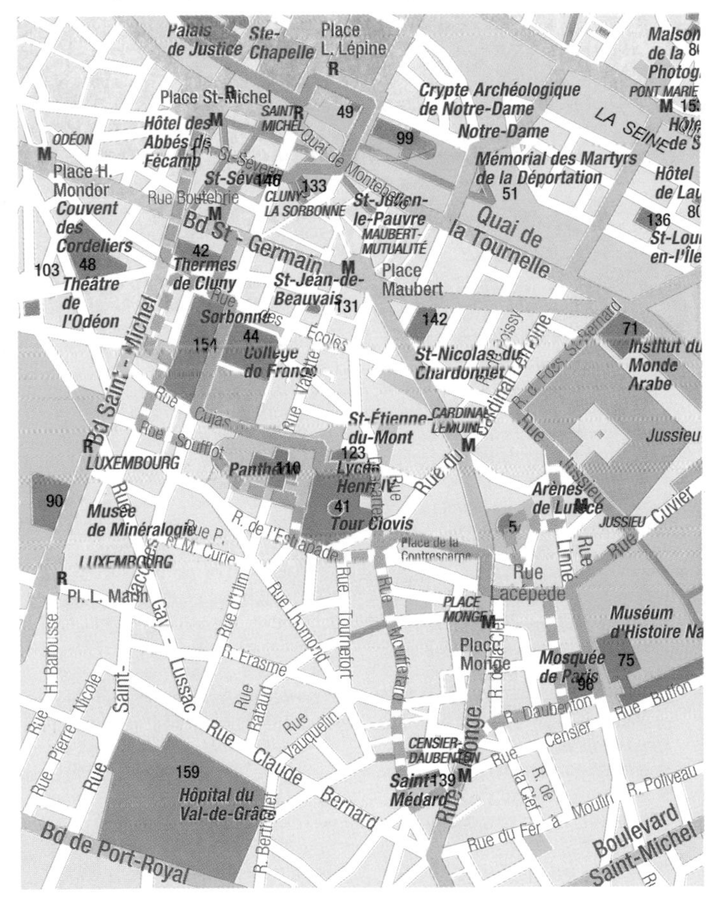

From the **Palais de justice (77)** go to **Notre-Dame (99)**. Walk down the Rue Saint-Séverin; on the left, the **church (146)**. Go the Boulevard Saint-Germain by the Rue Boutebrie. On the other side of the Boulevard on the left are the Rue and **Musée de Cluny (42)**. Walk up the Rue des Écoles; turn into the Rue Saint-Jacques for the **Collège de France (44)** and the **Sorbonne (154)**. Take the Rue Cujas, on the left, for the **Panthéon (110),** the **church of Saint-Étienne-du-Mont (123)** and the **Lycée Henri-IV (41)**. Along the Rue Lacépède arethe Jardin des Plantes and the Mosque of Paris. Follow the Rue Jussieu and the Rue des Fossés-Saint-Bernard for the **Institut du monde arabe**.

PRACTICAL INFORMATION

Where should you stay in Paris? How do you travel within Paris? Where do you get the latest information on museums, exhibitions, shows and guided visits? Where can you get medical attention in case of emergency, how do you find the chemists that are open late at night? What are the opening hours of post offices and banks? The following information will help you find out all you need to know in order to benefit as much as possible from the many facilities of the capital.

Office de tourisme de Paris

The Office de tourisme de Paris will be able to give you the most recent, constantly updated, information on the opening times of museums, monuments and other sights, exhibitions and shows, transport in Paris and the surrounding areas, transport to the airports, public facilities for the disabled, and also details of hotels and restaurants.

It can make hotel bookings, but only for the evening of the same day. Here you can also make theatre reservations and book exhibition tickets in advance.

You can also buy: tickets for trips within Paris and to detinations outside it; the flat fee 'monuments et musées' admission card which allows you free entrance to 65 museums and monuments in Paris and its surroundings for one, three or five days; the 'Paris-Visite' travel card (zones 1 to 3 only), and telephone cards.

The central Office de tourisme also has a bureau de change and an automatic SNCF ticket machine (national network).

CENTRAL OFFICE
127, av. des Champs-Élysées (VIIIe). Apr–Oct: daily except 1 May 9.00–20.00; Nov–Mar: Sun and public hols 11.00–18.00 • Tel: 01 49 52 53 54
Fax: 01 49 52 53 00
Telex: 645439.
Minitel: 3615 ITOUR.
Information on events and exhibitions: tel: 01 49 52 53 53

OTHER OFFICES

- ❑ *Gare du Nord.* May–Oct: Mon–Sat 8.00–21.00; Nov–Apr 8.00–20.00. • Tel: 01 45 26 94 82
- ❑ *Gare d'Austerlitz.* Mon–Sat 8.00–15.00 • Tel: 01 45 84 91 70
- ❑ *Gare de l'Est.* May–Oct: Mon–Sat 8.00–21.00; Nov–Apr 8.00–20.00 • Tel: 01 46 07 17 73
- ❑ *Gare de Lyon.* May–Oct: Mon–Sat 8.00–21.00; Nov–Apr 8.00–20.00 • Tel: 01 43 43 33 24
- ❑ *Gare Montparnasse.* Mon–Sat 8.00–21.00; Nov–Apr 8.00–20.00 • Tel: 01 43 22 19 19
- ❑ *Tour Eiffel.* May–Sept: daily 11.00–18.00 • Tel: 01 45 51 22 15
- ❑ *Mairie de Paris.* 29, rue de Rivoli (IVe). Daily except Sun and public hols 9.00–18.00 • Tel: 01 42 76 43 43

Where to stay

Hotels
With almost 75,000 rooms, Paris is one of the cities with the most hotels in Europe. Besides the

hotels without star (HT), they are grouped into five categories, ranging from one to four stars, and four luxury stars. As well as the luxury hotels and large chains, there is also a large number of charming little hotels. Because Paris welcomes so many tourists as well as numerous exhibitions, conferences and other commercial fairs, it is recommended to book in advance. This can be done either directly at the hotel itself, or through the headquarters of the chain you have selected, or at independent central booking offices, a list of which is available at the Office de tourisme de Paris. There are also various **guides** which offer their own selection, among them the *Guide Michelin France*, the *Guide du routard, Paris* (Hachette), *Le Bottin gourmand*, and the *Guide de charme des hôtels de Paris* (Rivage).

You can also contact or visit Destination Paris, a central office of information, distribution and booking for tourists to Paris, created on the initiative of the capital's hôteliers. (Tel: 01 53 93 77 77; Fax: 01 53 93 77 71)

The Office de tourisme de Paris also has lists for tourists of bodies which specialise in various other types of places to stay.

Résidences de tourisme
These offer studios and apartments with an à la carte hotel service.

Appartements meublés
These offer furnished rooms and apartments for short periods (usually for a minimum of one week).

Logement chez l'habitant (bed and breakfast)
These offer a room for the night and breakfast.

Auberges de jeunesse
These have over 1,000 beds in all.

Camping
There is a pleasant camp site in the Bois de Boulogne and many others in the Paris region.

Restaurants

How to choose? There are so many… First of all, it is useful to know that restaurants are legally obliged to put up a price list outside and inside, and the service charge must always be included. If the customer is satisfied, a tip will of course still be appreciated. A series of specialist, **guides**, constantly updated, will help you choose among the many kinds of restaurants and cuisines available to you. Here are some titles you may find helpful.

Le petit Lebey 1997 des restaurants de Paris (Robert Laffont),
Restos et bistrots de Paris (Le Guide du routard, Hachette),
À voir et à manger, Guide des restaurants les plus remarquables de Paris, by J.-F. Bricout et S. Soto (Éditions Alternative),
Guide des restaurants de Paris, by F. Simon (TF1 Éditions),
Restaurants de Paris, by J.-Cl. Ribaut (Gallimard),
Le Pudlo de Paris gourmand, by G. Pudlowski (Ramsay).

The large guides which cover the whole of France (*Michelin, Bottin gourmand, Gault-Millau*) naturally give the restaurants of the capital the position they deserve.

Getting about

Car
Traffic, which is often very dense, and parking, which is difficult and expensive, make

taking the car into Paris itself quite a complicated business. An increasing number of streets now have **parking meters**, even in residential quarters, and the rates vary depending on the area. Authorised parking is limited to a maximum of two hours. These meters take either coins or cards which can be bought at bureaux de tabac (tobacconists). On Sundays and public holidays parking in the streets is free, and it is sometimes also free on Saturdays and during the month of August. However, in order to avoid any unpleasant surprises it is best to read the information on the parking meter carefully.

The number of underground car parks has greatly increased in the last few years. But even so, they are often full in some parts of town and at particular times of the day. The speed limit in Paris is limited to 50 km/h, or less in some streets.

It is forbidden to drive in bus and taxi lanes or to park on 'red routes'.

Métro and RER

This is the fastest and most convenient way of travelling in Paris. Métro lines are designated by a number while those of the Réseau Express Régional (RER) are identified by a letter. The names of the terminal stations at each end of the line indicate the direction you should take when you start your journey and when you change from one line to another (for instance, on Métro line no. 4, the two terminals are 'Porte d'Orléans' and 'Porte de Clignancourt'). In some interchange stations you can just change from one RER line to another, or from one Métro line to another, while in others you can change from the RER to the Métro and vice versa. The various lines in a station are connected by underground corridors which are called 'correspondance'. On the Métro the first train starts at 5.30 am and the last train leaves the terminal at 12 midnight. Tickets are sold in **carnets** of 10 tickets in Métro and RER stations, and at bureaux de tabac. You can also buy them singly but they are more expensive that way. In Paris, Métro tickets are also valid on the RER. Outside Paris they are priced separately. And although today there is only one class on the Métro, the RER still has 1st and 2nd class. Travellers can obtain further information of the facilities offered to tourists by the RATP at the ticket offices in Métro stations where free maps of the Métro, bus network and RER are also available.

Besides the **carte orange** season ticket, which may be weekly, monthly or annual, there also special travel cards for tourists.

The **Formule 1** is a travel card which is valid all day for unlimited travel on the Métro, RER, buses, suburban trains of the SNCF, Montmartre funicular, Saint-Denis/Bobigny tramway and the noctambus (see 'Bus' entry on next page). Prices vary according to the zones you have selected, more or less far from the centre of Paris. The Formula 1 travel card is sold in all Métro stations and at the Bureau central de l'Office de tourisme, 127 Avenue des Champs-Elysées.

Paris-Visite is a travel card which enables you to travel free for a period of one to five days on the Métro, the bus, the noctambus, the RER, and the trains of the SNCF in the Paris region. The price of this travel card is also based on the zone(s) selected. It is available at the main Métro, RER and SNCF stations in the Paris region as well as in airports. It has the additional advantage of giving reduced entrance charges at some museums and sights.

Bus
The tickets are the same as those for the Métro. If you buy them on the bus you can only buy them singly. With the exception of season tickets, they must be dated. Bus stops are indicated by signs bearing the number of the bus and the route. On some routes, a recorded voice on the bus announces the next stop. You press one of the red buttons inside the bus to indicate to the driver that you wish to get off at the next stop.

Night buses
During the night, the noctambus (night buses) which cover ten routes, leave every hour, between 1.30 am and 5.30 am, from the Avenue Victoria or the Rue Saint-Martin, both near the Châtelet (IVe).

Taxis
You can hail a taxi as it drives by or pick one up at taxi ranks, near stations, where they are clearly signposted. When the light panel on top of the roof is completely lit up, the taxi is free; if only a small bulb is lit, it means it is occupied.
You can also phone for a taxi from one of the special call boxes, the addresses of which are listed in the brochures of the Office de tourisme, or you can ring a taxi company. It is customary to give a tip. The night rate applies between 7.00 pm and 7.00 am.

Boats
From April to September the Batobus lets you to discover Paris from the Seine. It also stops at all the major monuments along the river. Information about Paris boats: tel: 01 44 11 33 44.

The same company offers cruises designed with the tourist in mind (departures from the Eiffel Tower), as do: **Bateaux-Vedettes** de Paris (departures from the Eiffel Tower; tel: 01 47 05 71 29), **Vedettes du Pont-Neuf** (departures from the Pont-Neuf; tel: 01 46 33 98 38) and **Bateaux-Mouches** (departures from the Pont de l'Alma; tel: 01 42 25 96 10).

Bicycles
In spite of the existence of a number of bicycle lanes, you have to be extremely careful when riding a bicycle in Paris. Paris car drivers have a nasty habit of ignoring any two-wheelers, motorised or not. You can hire bicycles and join organised trips: for further information contact the Office de tourisme.

Some opening times

Most **post offices** are open from Mon to Fri from 8.00–19.00, and Sat from 8.00–12.00. The main post office, 52, rue du Louvre (Ier), is open daily, 24 hours a day. Tel: 01 40 28 20 00. Stamps are sold in all post offices and in bureaux de tabac (tobacconists).

Banks open at 9.00 and usually close between 16.30 and 17.30. Some brancehs are closed on Saturday, some others on Monday.

Guided visits

The Caisse nationale des monuments historiques et des sites (CNMHS), 62 Rue Saint-Antoine (IVe), tel: 01 44 61 21 69 and 01 44 61 21 70, organises conference-visits to various places, including monuments which cannot be visited by individual visitors.

There are associations of lecturers and speakers who also offer guided visits to monuments, quartiers, cemeteries and so on. You can find out more about these visits and their programmes in *Pariscope* and *l'Officiel des spectacles*, and a list of them may be had from the Office de tourisme.

What's on

The programmes of shows and events being held in Paris, including theatres, cabarets, cinemas, concerts, exhibitions, conference-visits, auctions and countless other events are published every week in the specialist magazines like *Pariscope* and *l'Officiel des spectacles*, which are on sale at all newsagents.

Health

Help and emergencies

Emergency numbers can be called free from telephone boxes. To call the **police**, dial 17. In case of **medical emergency**, dial 15 to call SAMU for ambulance and help. Dial 18 for the **fire brigade**. SOS médecins (tel: 01 47 07 77 77) and Urgences médicales de Paris (tel: 01 48 28 40 04) are groups of doctors of the health service who make home calls at any time of any day. SOS dentaire (tel: 01 43 36 36 00) offers the same service for dental emergencies. L'hôpital américain de Neuilly, 63, bd. Victor-Hugo, Neuilly-sur-Seine (tel: 01 46 41 25 25) and l'hôpital franco-britannique, 3, rue Barbès, Levallois-Perret (tel: 01 46 39 22 22) have English-speaking staff.

Pharmacies

La pharmacie des Champs-Élysées, 84, av. des Champs-Élysées (VIIIe) is open 24 hours a day (tel: 01 45 62 02 41);
La pharmacie Européenne, 6, pl. Clichy (IXe), is also open 24 hours a day (tel: 01 48 74 65 18).

Other pharmacies are open until late at night:
Drugstore des Champs-Élysées, 133, av. des Champs-Élysées (VIIIe), until 2.00 am (tel: 01 47 20 39 25);
Pharmacie Azoulay, 5, pl. Pigalle (IXe), until midnight (tel: 01 48 78 38 12);
Pharmacie Opéra, 6, bd des Capucines (IXe), until midnight except Sat. 23.00 (tel: 01 42 65 88 29);
Pharmacie de la Porte de Vincennes, 86, bd. Soult (XIIe), until 2.00 am (tel: 01 43 43 31 68);
Pharmacie des Arts, 106, bd. du Montparnasse (XIVe), until midnight, except Sun and public hols 22.00 (tel: 01 43 35 44 88);
Pharmacie Mozart, 14, av. Mozart (XVIe), until 22.00 except Sat and Sun (tel: 01 45 27 38 17).

Security

Like everywhere else pickpockets tend to flock anywhere there are tourists, near tourist sights and